Cómo ab
pequeño
conflictos

¿Qué puedo hacer?

C000085240

Colección Familia y Educación
Directora de la colección: Rosa Guitart
Serie Comunidad educativa

© Miguel C. Martínez López
© de esta edición: Editorial GRAÓ de IRIF, S.L.
C/ Francesc Tàrrega, 32-34. 08027 Barcelona
www.grao.com

1.ª edición: enero 2007
ISBN 13: 978-84-7827-475-8
D.L.: B-944-2007

Diseño: Aguiló Gràfic
Impresión: Litogama
Impreso en España

Miguel C. Martínez López

Cómo abordar los pequeños y grandes conflictos cotidianos

¿Qué puedo hacer?

 GRAÓ

Colección Familia y Educación | 10

Índice

Introducción

En este libro hablaremos de cómo padres y madres debemos abordar los pequeños conflictos cotidianos, de las necesidades que un niño tiene en su desarrollo, de cómo ser conscientes de los conflictos que los adultos tenemos con nuestro pasado como hijos, de cómo favorecer el desarrollo emocional y social de nuestros hijos para reducir los conflictos innecesarios y, finalmente, de las estrategias con las que contamos para hacer frente a los conflictos reales de manera inteligente.

Hablaremos de prevenir y de resolver conflictos, hablaremos de necesidades y de respeto, de relación y de afecto, de comunicación y cooperación.

Existen varias razones para estar leyendo este libro. La primera es que vas a ser madre o padre y quieres hacerlo bien desde el principio, eres consciente de que educar a un hijo o hija es algo difícil y te (os) gusta leer reflexiones y consejos de personas con más experiencia. Intuyes que tarde o temprano tendrás que hacer frente a los conflictos con tu hijo y quieres prepararte.

Otra posibilidad es que tienes problemas con el comportamiento de un hijo al que se puede calificar de desobediente, retador, caprichoso, llorón o insoportable; el caso es que tienes la sensación de que dedicas demasiado tiempo a reñirle o discutir con él. Tal vez puedes vivir situaciones o conflictos que no eres capaz de resolver. Es probable que ya hayas probado otros libros o propuestas para intentar reconducir la situación y lo más seguro, si estás leyendo este libro, es que no te hayan funcionado.

Otra posibilidad es que un amigo o la profesora de tu hijo piensa que leer este libro te puede ayudar porque cree que con su lectura podrías mejorar la manera en que educas y te relacionas con tu hijo o hija (aunque a ti, de entrada, te pueda parecer que todo va lo mejor que puede ir).

En cualquiera de los tres casos el libro te será útil. En favor del libro podemos decir que intenta unir teoría y práctica. Por un lado se basa en un conjunto de investigaciones relacionadas con la inteligencia emocional, por otro recoge una larga experiencia de un contacto estrecho con muchos niños.

Un paréntesis: sería deseable que todos los padres y los adultos que vivimos y trabajamos con niños dedicáramos un tiempo, de vez en cuando, a reflexionar sobre qué tal lo estamos haciendo con nuestros hijos o alumnos y a pensar en cómo podríamos mejorar su crianza o educación. Así que leer este libro te vendrá bien aunque el comportamiento de tu hijo y tu relación con él sean buenas.

Otro paréntesis: no existen libros mágicos en educación. Un libro nos puede dar ideas, pero desde que leemos algo hasta que lo hacemos nuestro y lo ponemos en práctica, hay un largo camino. Camino que muchas veces es difícil de hacer a solas.

El último paréntesis: cuánto más difícil sea la situación en que nos encontremos, más nos costará cambiarla, pero difícil no significa imposible, sólo significa que quizá tengamos que dedicarle más tiempo, perseverancia, paciencia o imaginación. Resolver un problema que el tiempo no ha ayudado a resolver llevará tiempo, pero debemos tener claro que cuanto antes empecemos, mejor. Retrasar la intervención sólo hará que una situación mala empeore, exigiéndonos todavía más tiempo, perseverancia, imaginación y paciencia.

Con qué te vas a encontrar

La palabra «conflicto» suena un poco grande para referirse a lo que vamos a tratar en el libro porque tiene unas connotaciones de gravedad que el día a día de la vida cotidiana con un niño no justifica. No es lo mismo un niño conflictivo que un niño travieso o un niño desobediente. Ni es lo mismo tener conflictos con nuestra hija a que algunas veces nos desobedezca, ni es lo mismo que haya conflictos entre hermanos a que haya discusiones o peleas puntuales por objetos y afecto.

Podemos vivir como conflictos situaciones que no lo son o, por el contrario, aceptar como algo normal comportamientos o situaciones que sí son realmente conflictivos. Además, lo que para unos padres supone conflicto puede no suponerlo para otros. Y para más complicación, un niño puede portarse de una manera colaboradora y razonable en un ambiente (la escuela) y de una manera retadora en otro (la casa), o al revés. Los marcos de relación y las creencias sobre lo que puede o debe hacer nuestro hijo determinan su comportamiento.

A todos los padres y madres nos gustaría tener un número reducido de situaciones conflictivas y que estas situaciones se resolvieran con poco esfuerzo.

A todas las madres y padres nos gustaría que nuestros hijos fueran buenas personas, que tuvieran recursos personales para conseguir satisfacer sus necesidades sin hacerse daños ellos mismos ni dañar a los demás; y que cuando no pudieran conseguir lo que quieren se enfrentaran constructivamente a sus frustraciones.

¿Qué podemos hacer para conseguir esto?

- Lo primero es adecuar nuestras expectativas a las cambiantes necesidades de nuestros hijos. Esto es importante porque, aunque no seamos conscientes, nuestras creencias sobre los niños están condicionando cada una de nuestras acciones, incluso antes de nacer nuestra hija o hijo.

- Lo segundo es ayudar a que nuestro hijo desarrolle sus capacidades emocionales y sociales. No seremos capaces de negociar si nuestro hijo necesita constantemente reafirmarse, si no es capaz de hacer frente a las frustraciones, si no es capaz de pensar en los demás, si no es bueno utilizando el lenguaje o si no es capaz de encontrar múltiples soluciones a un problema.

- Lo tercero es aprovechar las situaciones cotidianas (conflictivas o no) para enseñar a nuestro hijo habilidades sociales. Se trata de saber dar respuesta a los «noes» de los niños y entender que los «pequeños conflictos de la vida cotidiana» son una oportunidad para que aprendan habilidades sociales que luego aplicarán en otras circunstancias. Pero lo fundamental es aprovechar los «síes», los aciertos, para modelar positivamente el comportamiento que queremos de nuestro hijo.

Éstos son los tres grandes bloques en los que está dividido el libro, aunque, como en todo lo que afecta a la vida de los niños, todo está relacionado y en los diferentes capítulos se encuentra información que correspondería a otro.

Cuando tenemos dificultades con un hijo normalmente pedimos consejos relacionados directamente con la situación cotidiana, ¿qué hago en el momento en que mi hijo no quiere vestirse por las mañanas? (capítulo 4), pero las preguntas interesantes son ¿cómo tiene que ser mi hijo para no enfadarse al vestirse por las mañanas? (capítulos 2 y 3) y, sobre todo, ¿qué debo hacer y pensar para conseguir que mi hijo sea así? (capítulo 1).

Cuando nos enfrentamos a una rabieta o al enfado de un niño, la causa concreta del enfado nos puede dar igual (que se siente en un sitio o en otro, que se acabe la leche del desayuno...), lo que no nos da igual es que no sepa esperar, que sólo piense en sí mismo, que no pida adecuadamente las cosas, que sea caprichoso; en definitiva, su falta de control emocional (capítulos 2 y 3).

El trabajo cercano con familias muestra lo limitado que es enjuiciar actuaciones concretas y proponer medidas puntuales para cambiar una dinámica de relaciones educativas y afectivas densamente entretejida. Esto nos puede llevar a dar consejos para cada actuación (comer, dormir, controlar esfínteres, dejar el chupete...) pero si no tenemos una visión global, una visión ecológica de la relación, los consejos que proporcionemos pueden ser contraproducentes para la relación en su conjunto.

Además, puede ser muy difícil conseguir que el niño haga en un momento algo diferente de lo que ha aprendido a hacer sin que los adultos que le rodeamos cambiemos lo que hacemos. Y para nosotros mismos el esfuerzo de este cambio tampoco será posible sin modificar las creencias o principios que nos llevan a actuar como lo hacemos en cada situación.

En resumen, para que el último capítulo funcione debemos «creernos» el primero y haber empezado a poner en práctica los siguientes.

Objetivos

- Adecua tus expectativas a las necesidades cambiantes de tus hijos.
- Ayuda a tu hijo a desarrollar capacidades emocionales y sociales.
- Aprovecha las situaciones cotidianas para enseñar a tu hijo habilidades sociales.

1.

La construcción de un modelo de relaciones con los hijos

- *¿Estamos preparados para ser madres y padres?*
- *¿Qué necesitamos para hacer frente a los retos que supone hoy la crianza de un niño o niña?*
- *¿Qué imagen tenemos de los niños y niñas? ¿Son los niños unos tiranos?*
- *¿Cómo influyen nuestras expectativas en la manera de educar?*
- *¿Qué hemos hecho mal cuando un niño se porta mal?*
- *¿Qué debemos hacer bien para que un niño se porte bien?*

- *La imagen que nuestra sociedad tiene de la infancia.*
- *De qué forma nos influyen las creencias sobre cómo hay que educar a los niños.*
- *Cómo afectan nuestras acciones a la manera de actuar de nuestros hijos.*
- *Cómo nos influye el modelo de paternidad que hemos experimentado de niños.*
- *La importancia de ver al niño como un ser competente.*
- *Cómo atender debidamente las cambiantes necesidades que un niño tiene en su desarrollo.*
- *La necesidad de escuchar lo que los niños expresan a través de sus diferentes lenguajes y anticiparnos a los problemas.*
- *Por qué es importante crear entornos ricos que favorezcan el desarrollo.*
- *La comprensión de la crianza de los niños como una tarea compartida.*
- *Ser optimistas sobre la educación de los niños.*

Niños y niñas vienen al mundo sin hacer nada (poco más que succionar, agarrarse y llorar cuando tienen hambre, sueño o algún malestar corporal) pero ¡con un gigantesco potencial de aprendizaje! Todo lo aprenderán con nosotros y, en buena parte, de nosotros. Tienen que aprender cómo se abre un cajón y también que algunos cajones no se pueden abrir, cómo se coge la cuchara, pero que no se golpea con la cuchara en la mesa. Es decir, tienen que aprender con nosotros tanto a hacer cosas como a hacerlas bien, esto es «a portarse bien», «a ser colaboradores» o «a ser buenas personas».

A continuación examinaremos de qué forma las creencias sobre cómo hay que educar a los niños influyen sobre cómo interpretamos las acciones de los niños, sobre cómo respondemos a sus acciones y, de resultas, en cómo ellos actúan y construyen sus creencias y sus valores.

Es fundamental que nuestra acción como padres y madres esté orientada a satisfacer sus cambiantes necesidades y, para ello, la capacidad de escucha es algo esencial.

Esto es importante porque muchas veces vemos conflictos donde sólo hay necesidades, pero en otras muchas ocasiones hay necesidades que no sabemos atender debidamente y que con el tiempo se pueden convertir en conflictos. Una buena respuesta a las necesidades del niño crea unos cimientos de aceptación y comunicación en los que poder apoyarse cuando de verdad haya conflictos. Cómo pensamos que esto es lo más importante es de lo primero que vamos a hablar en el libro.

Cómo prepararnos para ser padres y madres

Cuando nos enfrentamos a la experiencia vital de ser madres o padres sabemos muy poco de cómo «funcionan» los niños, unos seres vivos tremendamente complejos y cambiantes. Hasta hace poco las prácticas relacionadas con la crianza de los hijos pasaban de madres a hijas, también era frecuente delegar en las hermanas mayores el cuidado de los hermanos pequeños, dándoles una experiencia práctica muy útil para una muy cercana maternidad en una especie de ensayo general para la principal ocupación que se tenía destinada a las mujeres.

Afortunadamente, esta predestinación ya no existe. Pero todavía no hemos inventado una manera alternativa de transmitir a los nuevos padres el conjunto de conocimientos y competencias necesarias para serlo.

Nos pasamos estudiando hasta cerca de los veinte años, comenzamos a trabajar y alrededor de los treinta años vemos el momento de tener un hijo. En todo este tiempo nuestra única preparación para ello serán las clases de preparación al parto y, como mucho, éstas se prolongarán unos pocos meses en iniciativas dirigidas a acompañar la lactancia y a establecer una buena relación con el cuerpo del niño mediante masajes. Tenemos una imagen idealizada de la maternidad de modo que cuando pensamos en tener un hijo la imagen que se nos viene a la cabeza es la de un bebé recién nacido mamando o durmiendo, algo que ocurre, y no siempre, durante muy pocos meses. ¿Y luego qué?

Es posible que durante el primer año y medio prestemos toda nuestra atención a la alimentación y estemos muy atentos al control de los percentiles, sin darnos cuenta de que en estos meses se están jugando muchos de los rasgos de personalidad y de inteligencia que determinarán la vida de nuestro niño y que la relación con nuestro hijo es un factor clave en este juego.

Casi seguro que nos van a regalar algún vídeo de Baby Einstein para que nuestro bebé se haga inteligente pero muy probablemente no seamos conscientes de que la inteligencia de un niño pequeño es sensoriomotora (no simbólica) ni del papel que tienen las rutinas de cuidado y los primeros juegos en este desarrollo.

Es más que probable que nos hayan regalado el *bestseller* del doctor Estivill sobre el sueño de los niños, probablemente el único libro sobre educación que leamos. Pero tenemos un gran desconocimiento sobre el desarrollo del niño en los primeros años y sobre el papel de los padres en ese desarrollo, sobre las aportaciones claves que han hecho figuras tan importantes cómo Spitz, Pikler, Piaget, Montessori, Malaguzzi, Cyrulnik... sobre el juego o sobre cómo se desarrolla la inteligencia emocional del niño.

La aceptación de que no debemos solucionar esta falta de formación contrasta con el hecho de que para manejar un ordenador o conducir un coche sí que entendemos que es necesario que alguien nos enseñe algo que no sabemos, para lo cual asistimos a una autoescuela, hacemos un curso de informática, leemos atentamente unos manuales de funcionamiento o pedimos ayuda a un amigo que sabe más de ordenadores. También nos parece razonable que durante el primer año de carné de conducir debamos llevar una L de «aprendiz» y respetar unas normas especiales.

Cómo abordar los pequeños y grandes conflictos cotidianos

Cuando se trata de «manejar» niños, en vez de pensar que nadie nace enseñado, que un niño es bastante más complejo que un ordenador y que requiere bastante más «conocimientos», la sociedad da por hecho que un buen padre o madre debería saberlo todo desde el principio de forma innata y esto impone sobre cada uno de nosotros una terrible carga.

La primera consecuencia de esta idea es que en vez de tener una actitud abierta hacia el aprendizaje, podemos tener una actitud defensiva dirigida a justificar nuestras acciones porque pensamos que dar a entender que no sabemos cómo atender las necesidades de desarrollo de nuestro hijo cuestionaría nuestra capacidad para criarle y educarle. Esta postura nos puede llevar a dinámicas competitivas y a rechazar consejos cuando otra persona nos da su parecer, especialmente si es un familiar directo como nuestra madre o hermana.

Una segunda consecuencia negativa para nosotros es que nos hace enfrentarnos a solas a una experiencia compleja y que puede ser extenuante. Sin apoyos, por ejemplo, como la Maison Vert de Francia donde una madre o padre puede ir sin compromiso a compartir lo bueno y lo malo de tu experiencia parental mientras su hijo juega. Sin asesoramientos como el servicio de puericultoras que, también en Francia, te asesora en tu propia casa sobre cómo mejorar el cuidado del bebé a la manera del programa televisivo *Supernanny*.

La tercera consecuencia negativa atañe a nuestros hijos porque pueden ser víctimas involuntarias de nuestra improvisación e inexperiencia. Ni las intuiciones ni las buenas intenciones son una garantía suficiente a la hora de educarles. Por ejemplo, con toda su buena intención una madre decidió aumentar la concentración de leche artificial que su bebé de dos meses tomaba porque *le parecía* que estaba aguada y que el niño se iba a quedar con hambre. El niño tuvo un colapso renal que le puso al borde de la muerte y le mantuvo un mes ingresado en la UCI. Una situación extrema, pero real.

Otro ejemplo, con toda nuestra buena intención es muy fre-

Ni las intuiciones ni las buenas intenciones son una garantía suficiente a la hora de educar a nuestros hijos

cuente que pongamos a un niño de siete meses, o menos, reclinado gran parte del día en una hamaquita o maxi-cosi para que «nos vea y esté tranquilo». Esto, pese a las recomendaciones de las asociaciones de pediatría y de numerosas investigaciones que muestran claramente cómo el niño necesita una superficie plana que le permita moverse libremente y ejercitar la musculatura de espalda y piernas para de este modo favorecer gradualmente su autonomía a través del movimiento. Con toda nuestra buena intención estamos limitando el movimiento del niño para, posteriormente, preguntarnos por qué no anda al año como todos.

Un problema con la educación de los hijos es que cuando nos queremos dar cuenta de las consecuencias negativas de nuestras acciones puede ser «tarde» porque la relación con nuestro hijo fragua en muy poco tiempo y desandar lo andado e intervenir adecuadamente lleva mucho esfuerzo. Hay que sumar lo que nos cuesta cambiar a nosotros, más lo que le cuesta a nuestro niño cambiar la forma de hacer las cosas que le hemos enseñado.

Muchas veces una mezcla de cariño, sensibilidad y capacidad de escucha puede ser suficiente para criar bien a un niño porque los niños parecen estar diseñados para sacar partido de lo positivo que les rodea. Pero este enfoque espontáneo deja mucho espacio para cometer equivocaciones o, dicho de una manera más positiva, mucho espacio para el aprendizaje y la mejora. Espacio que este libro quiere aprovechar.

¿Cuáles podrían ser los contenidos de una formación que nos prepare para ser madres y padres?

El programa educativo *Primary Prevention: Promoting Mental Health in the Next Generation* es un ejemplo interesante. Se trata de un programa educativo llevado a cabo en EE.UU. y diseñado para enseñar a los jóvenes las destrezas que necesitarán cuando sean padres, cuyos objetivos son:

- Mejorar el conocimiento de las responsabilidades, exigencias y coste de la paternidad.
- Mejorar el conocimiento sobre el desarrollo infantil y cuestionar los mitos existentes.

Cómo abordar los pequeños y grandes conflictos cotidianos

- Aumentar la comprensión sobre la importancia de la autoestima para el bienestar psicológico del niño y sobre la relación entre la autoestima infantil y las prácticas de paternidad.
- Aumentar el conocimiento de las técnicas positivas de resolución de conflictos.
- Aumentar el conocimiento sobre los servicios de salud mental con los que contamos para conseguir ayuda.

Un programa de este tipo proporcionado por institutos de secundaria, centros de salud o ayuntamientos sería una ayuda inestimable en la preparación para ser madres y padres.

Mientras la responsabilidad social llega, poniendo en práctica iniciativas de este tipo, debemos hacer una llamada a la responsabilidad personal, a prepararnos para la complejidad de lo que significa ser padres y, sobre todo, a poner en práctica las dos principales cualidades que cualquier persona dedicada a la educación debe tener:

- Ser reflexiva.
- Estar dispuesta a aprender.

La primera nos permite ser conscientes de lo que hacemos, de las razones que nos llevan a actuar como actuamos y de qué cosas podemos mejorar; la segunda nos permite explorar formas de conseguirlo.

En todo el mundo están teniendo un notable éxito las distintas versiones del formato televisivo *Supernanny* lanzado por la BBC donde una psicóloga intenta ayudar a una familia a resolver algún problema en la educación de sus hijos: falta de normas, problemas en la hora de la comida, rabietas. ¿Dónde reside el éxito de la intervención de la *Supernanny*? Por un lado la disposición a aprender. Cuando una madre o padre acepta que una persona observe y valore su forma de educar a los niños se está colocando en una situación de aprendizaje. Cuando alguien permite que *Supernanny* entre en su casa ha hecho la mitad del camino.

La segunda mitad del camino proviene de una metodología de intervención muy eficaz:

- Observación de la situación sin intervenir.

Las dos principales cualidades que cualquier persona dedicada a la educación debe tener son: ser reflexiva y estar dispuesta a aprender

- Elaboración de un diagnóstico y de unas normas de actuación (para los niños, pero principalmente para los padres).
- Modelado de cómo intervenir y práctica de capacidades (relajación, comunicación).
- Tiempo de «prácticas» para poner en práctica el nuevo modelo.
- Evaluación periódica de los aciertos y de las dificultades surgidas mediante el análisis de las grabaciones en vídeo de las intervenciones parentales.

Esta estructura se puede adaptar haciéndola válida para nuestra vida cotidiana. Por ejemplo, podemos hacer un registro de observaciones donde recojamos las situaciones que nos generan más desgaste o preocupación para poder analizar, con distancia, lo que hacemos. De este modo podemos detectar aspectos a mejorar y plantearnos cosas concretas que podemos hacer mejor.

Escribir es una herramienta básica para tomar distancia de los hechos y para dar entrada a la reflexión y a la planificación.

¿Cómo pueden repercutir unas creencias inadecuadas en la educación de nuestros hijos?

Debemos ser conscientes de que un buen porcentaje del tiempo que dedicamos a reñir, discutir o enfrentarnos con nuestros hijos cuando éstos son mayores puede tener su origen en:

- Problemas en el ajuste afectivo cuando son pequeños.
- Exigencias y expectativas inadecuadas (por defecto o por exceso).
- Dificultades para tener en cuenta las necesidades del niño.
- Un intento de evitar la dedicación exhaustiva que precisa un niño pequeño.

A veces estos comportamientos distorsionados pueden crecer con el niño creando situaciones más y más difíciles de afrontar por parte de madres y padres.

Saber dónde empezaron los problemas es una condición necesaria para poder resolverlos.

Empezar por los principios

A continuación se plantean diez principios esenciales que todos los padres deberíamos tener siempre presentes en la crianza de nuestros hijos. Tratan de sociología y de psicología evolutiva, dos ciencias que están a nuestro servicio para mejorar nuestra tarea:

- Comprender que la manera en que actuamos influye en cómo actúan nuestros hijos.
- Ser conscientes de los estereotipos sociales que nos influyen.
- Ser conscientes del modelo de padres que hemos experimentado cuando éramos hijos.
- Ver al niño como un ser competente.
- Comprender que la educación de los niños y niñas se basa en un equilibrio cambiante.
- Escuchar el crecimiento.
- Actuar proactivamente.
- Crear entornos ricos.
- Entender la crianza de los niños como una tarea compartida.
- Ser optimistas sobre la educación de los niños.

Comprender que la manera en que actuamos influye en cómo actúan nuestros hijos

A veces cuando se comenta a unos padres que su hijo tiene un bajo nivel de frustración, que se enfada enseguida u otra característica de su comportamiento que puede tener un matiz negativo, suele haber una respuesta muy típica, «es igual que su abuela (o que su tío o que su padre)». En estas respuestas está implícito que el carácter de los niños vendría determinado genéticamente, que no tenemos ninguna responsabilidad sobre ello y que no podemos hacer nada para cambiarlo.

Pero incluso en el caso de que la genética influya sobre la personalidad, su influencia sería indirecta. Es la experiencia vital, la interacción entre el individuo y el entorno lo que finalmente define nuestra personalidad. Todo lo que rodea a un niño desde el primer día de vida le educa: la forma de dar el biberón, el juego... lo cotidiano. Aunque no nos demos cuenta, aunque creamos que lo que hacemos son pequeñas cosas sin importancia,

Es la experiencia vital, la interacción entre el individuo y el entorno lo que finalmente define nuestra personalidad

padres y educadores enseñamos a los niños desde que nacen a actuar sobre las cosas, a reaccionar ante los demás y a reaccionar ante las frustraciones o a expresar sus sentimientos.

Existen multitud de investigaciones sobre cómo se relacionan las madres o principales cuidadores con sus hijos en las que se demuestra que la interpretación que los adultos hacemos de las acciones de los niños determina la manera en que respondemos y que esta respuesta es lo que va conformando la imagen que el niño se hace de sí mismo y de su forma de responder al mundo.

Pensemos en algo muy básico para entender cómo funciona este mecanismo. ¿Cómo interpretamos el llanto de un bebé? Puede ser hambre o malestar físico porque está mojado e incómodo. En este caso es fácil acertar. ¿Y cuando llora y no está tan claro el porqué? Tal vez sea un cólico, o que le molestan los dientes o que tiene sueño. Todavía aquí podemos ir probando respuestas a modo de hipótesis y sacar conclusiones a partir de lo que parece funcionar. Pero también puede que esté simplemente inquieto o aburrido. En esta última situación lo que hagamos pondrá un final muy distinto a la acción del niño. Si comienzas un juego tipo los «Cinco lobitos» le enseñarás a ir del aburrimiento a la actividad, pero si le balanceas mientras cantas una nana puede que acabe dormido, enseñándole a ir del aburrimiento a la inactividad. En los primeros meses de un niño hay multitud de situaciones neutras que sólo cobran significa-

Cómo abordar los pequeños y grandes conflictos cotidianos

En este caso se atribuye al llanto del niño la expresión de un desamparo absoluto. Esto provoca que la respuesta de la madre sea proporcionar el más primario de los consuelos porque cree que es lo más tranquilizador para el malestar de su hijo. Pero ¿qué está aprendiendo el niño? «Sólo mi madre puede resolver mi frustración; ante una dificultad sólo puedo ir hacia atrás, hacia el pasado, hacia ser bebé». Al leer esto alguien puede estimar que dar el pecho es una manera de consuelo poco usual para un niño tan mayor. Pero donde pone dar el pecho pongamos dar el chupete: una manera muy extendida de consolar el llanto de niños mayores sin preocuparse de poner en marcha otras medidas de consuelo más evolucionadas.

do a partir de la acción adulta, desarrollando unas redes neuronales u otras en el virgen cerebro del niño. Nuestras respuestas dan significado a las acciones del niño.

Varias conclusiones. Nuestras acciones pueden, poco a poco y sin darnos cuenta, crear niños tranquilos, nerviosos, simpáticos, llorones... en la medida en que reiteradamente respondemos a las acciones del niño de una determinada manera.

Segunda, lo que pensamos de los niños y de lo que son capaces de hacer acaba determinando lo que los niños hacen, lo que piensan sobre sí mismos ¡y lo que son capaces de hacer!

Ser conscientes de los estereotipos sociales que nos influyen

También nos puede influir la idea social de la infancia que en un momento se pone de «moda». Actualmente está muy extendido el prejuicio que nos hace interpretar a la defensiva el comportamiento de un bebé o de un niño pequeño, viviéndole como una especie de pequeño tirano.

> Lo que pensamos de los niños y de lo que son capaces de hacer acaba determinando lo que los niños hacen, lo que piensan sobre sí mismos ¡y lo que son capaces de hacer!

Esto es una fuente muy importante de conflictos futuros porque si entendemos sus necesidades como caprichos es probable que no les demos respuesta en el momento en que surgen. El retraso (incluso pequeño) en satisfacer las necesidades básicas de un bebé le obligará a «gritar» para ser tenido en cuenta, sobredimensionando sus peticiones y, en muchos casos, generando una espiral de desencuentros con su principal cuidador.

¿No nos parece excesivo lo que estamos exigiendo a los bebés de nuestra sociedad? Visiones como las descritas cada vez están más extendidas en más áreas del desarrollo. Podemos hablar de un creciente analfabetismo acerca de lo que supone el primer año de vida del niño (y la primera infancia, en general) caracterizado por una falta de comprensión de sus constantes y enormes necesidades físicas y psicológicas, unas necesidades que sólo los adultos podemos satisfacer. Consecuencia de esa incomprensión sería el interés por acelerar el desarrollo con el único fin de que los adultos nos evitemos complicaciones.

Qué nos parece...

- *Una madre recrimina a su bebé de seis días con un «¡hoy tampoco me vas a dejar comer!» cuando éste lloriquea reclamando una nueva toma haciendo que la madre deje de comer con su familia.*
- *Cuando vas a coger a tu bebé, un conocido te aconseja que no lo cojas en brazos para que no se acostumbre y no se haga dependiente.*
- *Como consecuencia de la aplicación de ciertos métodos para dormir a los niños, unos padres dejan llorar a un bebé de nueve meses durante cinco largos minutos con la idea de que deben acostumbrarle a dormir solo.*

Cómo abordar los pequeños y grandes conflictos cotidianos

Tras estos tres ejemplos hay algo en común. Otorgamos a los niños una intención tiránica, caprichosa, ante la cual nuestra respuesta debería ser defendernos y resistirnos a dicha tiranía.

Situaciones naturales que en nuestra especie han sido momentos aceptados del desarrollo infantil, como dar de mamar «a demanda» cuando el niño lo pide o acompañar cariñosamente ese momento de despedida que es el inicio del sueño, se están convirtiendo en situaciones conflictivas. Las prisas por que el bebé deje de serlo suponen una negativa a aceptar algo que es específico de las criaturas humanas: su dependencia absoluta.

Esto choca con que los niveles de exigencia que aplicamos cuando los niños crecen se reducen y, en muchos casos, consentimos más adelante actuaciones inmaduras inadecuadas para su edad. Por ejemplo, vestir y dar de comer a un niño de tres años, considerar aceptable que un niño de cuatro años vaya descontroladamente por la calle, parecer normal que niños de cinco años griten o corran entre las mesas de un restaurante... Con frecuencia pasamos de tratar a los niños como tiranos cuando son bebés a permitirles ser príncipes a los que no podemos frustrar cuando crecen.

Algo que se contrapone a las prácticas de otros países donde la alta protección que socialmente se dedica a los niños pequeños, tanto por parte de las familias como de la sociedad en general, se compagina con progresivos niveles de exigencia y de responsabilidad cuando crecen, tanto en casa como en la escuela, con el fin de conseguir adolescentes responsables y, finalmente, adultos independientes.

Como muchas situaciones conflictivas que «aparecen» después tienen su origen en el primer o segundo año de vida, y en su

Con frecuencia pasamos de tratar a los niños como tiranos cuando son bebés a permitirles ser príncipes a los que no podemos frustrar cuando crecen

mayoría son innecesarias y fácilmente evitables, nunca deberíamos olvidar las siguientes características de un bebé:

- Los bebés dependen totalmente de nosotros para vivir. Somos totalmente responsables de su alimentación, su limpieza, su descanso, su movimiento, su estimulación y su estructura psicológica.

- Los bebés nacen con un ritmo de sueño que inicialmente no coincide con el nuestro; mientras están en el útero muchas veces se activan cuando la madre se tumba a descansar. Nos van a quitar el sueño en más de un sentido.

- Los bebés han estado en movimiento continuamente durante nueve meses, les gusta y les tranquiliza que nos desplacemos con ellos; no podemos esperar que pasen horas y horas en su cuna. Necesitan que les cojamos y les llevemos de un lugar a otro.

- Los bebés, desde que comenzaron a oír, han estado junto a la voz de su madre. Necesitan que se les hable y que se les cante.

Los bebés necesitan que los cojamos y les llevemos de un lugar a otro

- Los bebés tienen un estómago pequeño, por lo tanto su reserva de energías es muy reducida y deben comer muchas veces pequeñas cantidades. No es un vicio.

- Los bebés han sido alimentados en vena durante el embarazo, nacen con un sistema digestivo en pleno proceso de maduración, necesitan ayuda para echar los gases originados en la digestión; lo pasarán mal cuando los gases se quedan en su tripita y necesitan que les acompañemos en su dolor. Debemos contar con ello, consolarles y no agobiarnos.

- Los bebés necesitan del adulto para consolarse, para definir sus necesidades y para solucionarlas hasta que son muy mayores.

Puestos a exigir, a quien habría que exigir es a una sociedad que no tiene en cuenta en su organización las necesidades de los niños pequeños, con ridículas bajas por maternidad y paternidad, con inadecuados horarios laborales o con unos permisos laborales que convierten las inevitables enfermedades infantiles en una complicada situación familiar.

La falta (en cantidad y calidad) de atención y de servicios que sufren nuestros niños, frente a los de otros países de Europa, es una injusticia y un lastre social. No se favorece el cuidado de los niños pequeños, hay pocas escuelas infantiles, apenas bibliotecas, no hay espacios de juego en las tiendas, prácticamente no hay sillas adaptadas en los restaurantes, ni cambiadores en los trenes, ni abonos anuales en los museos, ni la posibilidad de subir los carritos abiertos en los autobuses urbanos. Nimiedades, puede pensar alguien, pero es éste un conjunto de síntomas de una sociedad que no piensa en los más débiles. Esa sí que es una tiranía contra la que debemos rebelarnos.

Ser conscientes del modelo de padre o madre que hemos experimentado cuando éramos hijos

Hay un dato fundamental a la hora de enfrentarnos a la aventura de ser padre, la experiencia de haber sido hijos.

Los estudios muestran que hay una limitada variación del 20% entre la práctica educativa nuestra y la de nuestros padres. Es decir, la mayor parte de nuestras prácticas educativas son similares a las que nuestros padres emplearon con nosotros, algo absolutamente normal desde el punto de vista de reproducción de una cultura, de no ser por el hecho de que nuestra sociedad ha experimentado en el último medio siglo cambios sustanciales: el paso a una sociedad urbana, la emancipación de las mujeres y la democratización de todos los ámbitos de la vida. Cambios que han puesto en cuestión los usos sociales sobre la educación de los niños.

Con relación a lo que vamos a ver en el libro, el modelo de educación que muchos hemos vivido de pequeños no resulta útil para utilizarlo con nuestros hijos, por autoritario o por permisivo. Hemos vivido en una sociedad que banalizaba la agresión física o psicológica hacia la infancia (de

La mayor parte de nuestras prácticas educativas son similares a las que nuestros padres emplearon con nosotros

hecho muchos la hemos sufrido y sigue siendo una práctica social ampliamente aceptada), aunque una minoría habrá vivido en familias en las que, por reacción al modelo autoritario, estaba mal vista cualquier intervención que frustrara a los niños. La conclusión es que muchos no hemos experimentado buenos modelos de relación familiar.

La falta de buenos modelos hace que tengamos más claro «lo que no queremos hacer» que «lo que tenemos que hacer». Como en el día a día no podemos estar valorando racionalmente cada una de las decisiones, ponemos el piloto automático (el modelo que conocemos) y, como mucho, introducimos pequeñas variaciones en este modelo.

Incluso podría pasar, como señala Alice Miller[1], que seamos incapaces de cuestionarnos ciertas prácticas educativas que nuestros padres han utilizado con nosotros porque eso podría llevarnos a la conclusión de que nuestros padres pueden haber actuado en nuestra contra (algo muy difícil de aceptar), con lo que podríamos acabar justificando prácticas como el castigo físico incluyéndola en el paquete más grande de la «preocupación por los hijos» y así convertirla en una estrategia aceptable para nosotros. Hablamos del castigo físico pero también de humillaciones, retiradas emocionales o chantajes afectivos, estilos de motivación competitivos...

Es muy difícil luchar contra nuestra propia historia. Por eso es tan fácil seguir encontrándonos con opiniones como que «un bofetón a tiempo» es beneficioso para la educación de alguien, señal de que quien lo dice reconoce efectos educativos positivos a dicha intervención y señal, también, de que lo ha experimentado directamente.

O conseguimos ser conscientes de las claves personales que explican nuestras acciones, y para ello tomamos conciencia de nuestra historia personal, como hijos, o nos arriesgamos a que los cambios que intentamos introducir

---

1. MILLER, A. (2000): *El origen del odio*. Barcelona. Ediciones B.

sean simplemente barnices superficiales que el tiempo destruirá con facilidad.

Ver al niño como un ser competente

Hasta hace muy poco en nuestra sociedad la imagen del niño era la de un ser inactivo y sin iniciativa al que los adultos le enseñaban lo poco que sabía. La propia palabra «infancia» que significa «sin voz» es un buen resumen de esta idea. Al final, un entorno empobrecido y poco estimulante acababa limitando el desarrollo infantil.

Hoy, sin embargo, cada vez está más extendida la imagen de un niño competente, un niño constructor de sus aprendizajes, que toma parte activa en ellos desde el principio de sus días (sea al andar, hablar o leer). Niños y niñas investigadores, curiosos y activos que utilizan inteligentemente los recursos de los que disponen, para resolver problemas y superar dificultades por sí mismos.

Niñas y niños con ganas de conocer y capaces de aprovechar la amplia gama de estímulos y experiencias que se despliegan a su alrededor. Capaces de mantener su atención por largos periodos de tiempo en cosas que les resultan interesantes.

Niños y niñas competentes en lo intelectual, pero también en lo socioemocional, que pueden, desde muy pequeños, ponerse en el lugar del otro, de consolar, cooperar, compartir, comunicarse y negociar.

Ver a los niños como egocéntricos e incapaces de preocuparse por los demás ha hecho que ignoremos las situaciones cotidianas donde la empatía y la cooperación surgen, despreciándolas en vez de potenciándolas. También ha hecho que bajemos el listón de nuestras expectativas considerando aceptables para niños mayores respuestas muy primarias como rabietas o agresiones. Ignorar las incipientes respuestas prosociales del niño y aceptar los comportamientos antisociales no es bueno para nadie, ni para los niños, ni para nosotros, ni para la sociedad. Definitivamente, incluso los niños muy pequeños son empáticos, prosociales y capaces de cooperar, una actitud acorde con nuestra especie.

Es esencial que involucremos, desde muy pequeño, a nuestro hijo en la solución de sus problemas con las personas y las cosas, evitando decidirlo todo por él o ella

Por lo tanto, es esencial que involucremos, desde muy pequeños, a nuestro hijo en la solución de sus problemas con las personas y las cosas, evitando decidirlo todo por él o ella.

Y es esencial que le mostremos nuestra confianza en que puede hacerse responsable de sus respuestas emocionales, así como de las consecuencias que provocan sus actos.

Y que ponga en práctica repetidamente estrategias evolucionadas basadas en el lenguaje y la negociación, para así conseguir lo que quiere y necesita.

Si reconocemos la competencia socioemocional de nuestros niños y les ayudamos a desarrollarla, cuando demos respuesta a sus frustraciones o a los conflictos cotidianos estaremos ayudando a crear seres emocionalmente competentes.

Si no hacemos esto le estaremos enseñando a no ser responsable de sus sentimientos, actos y deseos; acabará utilizando estrategias primitivas como lloros y pataleos para exigir que alguien se ocupe de sus necesidades o de sus sentimientos; y aprenderá a esperar pasivamente la respuesta de otra persona (su madre o cualquier otro). Y el principal perjudicado de esta carencia será él mismo.

Una vez más, el tiempo extra que implica hacerle partícipe de los problemas es una inversión que muy pronto se comienza a recuperar. El tiempo que le dedicamos a que sea responsable, cuando casi no puede serlo, nos asegurará que en cuanto pueda serlo, lo será de verdad.

Comprender que la educación de los niños y niñas se basa en un equilibrio cambiante

Lo más difícil de criar a un niño es que sus necesidades y sus capacidades varían continuamente, con lo cual nos vemos enfrentados, una y otra vez, al hecho de que cuando ya sabemos cómo funciona el niño lo que sabemos no nos vale porque ya ha cambiado el «modelo».

No es lo mismo un recién nacido que un bebé, que un «gateador», que un «andador», que un «hablador», que un «jugador» o que un adolescente. Es decir, no es lo mismo un niño a los

Cómo abordar los pequeños y grandes conflictos cotidianos

seis meses, que a los nueve, que a los doce, que a los dos años, que a los trece años. Una muestra de esta dificultad es la carencia de palabras para etiquetar cada etapa, palabras que sí existen en inglés y en otros idiomas.

Las transformaciones que experimenta un niño son maravillosas, pasan constantemente de gusanos a mariposas, desplegando ante nuestros ojos nuevas capacidades de las que no existían indicios, y todo ello sucede a un ritmo que no deja de sorprendernos. Pero esto también conlleva un vertiginoso cambio en sus necesidades. Siguiendo con el símil: la mariposa vuela, el gusano no; el gusano necesita comer hojas, la mariposa se alimenta de las flores.

Ésta es la razón por la que pueden surgir problemas cuando se aconseja la respuesta que debemos dar ante una determinada acción. Algo que puede ser aceptable a los dos años –como dejar que el niño llore durante cinco minutos para que entienda que debe dormirse solo– será absolutamente inadecuado cuando el niño tiene dos meses. O, al revés, algo aceptable con un bebé de

seis meses, como tenerle toda la tarde en brazos, no lo sería en el caso de un niño de cuatro años. O lo que normalmente no es aceptable sí que lo es cuando notamos que nuestro hijo está raro porque está incubando algo y se va a poner enfermo, o cuando ha pasado una mala noche y ha dormido poco.

Tan perjudicial es no atender las necesidades que un niño pequeño no puede satisfacer por sí mismo como tratar a un niño mayor como un bebé y hacerle lo que él podría solucionar con toda autonomía. Comer por sí mismo, vestirse, limpiarse, colaborar en el mantenimiento de la casa, ayudar en la cocina, negociar o participar en pequeñas decisiones son cosas que podemos esperar de un niño de tres años... y de uno de dos años y diez meses... y de un niño de año y medio... Bueno, lo que quiere decir esta cuenta atrás es que no sabemos en qué momento exacto un niño puede comenzar a hacer algunas de estas cosas, así que debemos darle la posibilidad de que nos sorprenda. Nuestra estrategia debe ser la

Tan perjudicial es no atender las necesidades que un niño pequeño no puede satisfacer por sí mismo como tratar a un niño mayor como un bebé

33

misma que aplicamos al desarrollo del lenguaje, hablamos a nuestros hijos e interpretamos gestos y sonidos como respuestas intencionales muchos meses antes de que podamos mantener una conversación «de verdad» con ellos. Esto es, reconocemos cualquier pequeño avance, por pequeño que sea, como algo valioso que debemos valorar y potenciar.

Pero no sólo es que con el crecimiento cambien las necesidades, sino que dentro de cada «etapa» las necesidades de un niño son muy amplias. El cuadro que aparece más abajo nos muestra el abanico de necesidades infantiles[2].

Muchas veces los padres insistimos, fundamentalmente, en una de las columnas o en algunos aspectos concretos de algunas de las columnas, pero para un adecuado desarrollo los niños necesitan a lo largo del día situaciones que les permitan vivenciar todos los aspectos de las dos columnas.

Necesitan situaciones donde vivir la seguridad pero también situaciones que favorezcan el crecimiento. Un bebé necesita afecto físico, corporal y palpable, pero incluso un bebé de cuatro meses necesitará una mantita que le permita moverse autónomamente y conquistar su entorno aprendiendo a levantar la cabeza, liberando una mano y aprendiendo a darse la vuelta. Cuando comienzan a gatear y andar necesitan alguien que valore sus logros y les consuele

Necesidad de movimiento.	↔	Necesidad de reposo y calma.
Necesidad de afrontar el peligro.	↔	Necesidad de seguridad.
Necesidad de autonomía.	↔	Necesidad de socialización.
Necesidad de expresar la creación.	↔	Necesidad de imitar al adulto.
Necesidad de imaginación.	↔	Necesidad de experimentar lo real.
Necesidad de actuar sobre las cosas.	↔	Necesidad de recibir una gran cantidad de experiencias.

2. MESSIKA, L. (2000): «Imagin'aires de jeux». *Autrement*, abril, p. 63.

Cómo abordar los pequeños y grandes conflictos cotidianos

en sus caídas, pero también necesitan que confiemos en su capacidad y les animemos a explorar y a arriesgarse.

Si pretendemos que los niños estén sentados, sin enfrentarse a pequeños «peligros» razonables, con todas sus actuaciones pautadas por las normas sociales y entretenidos viendo la televisión, no sólo estaremos criando seres débiles y desequilibrados, sino que en muchos casos estaremos sembrando situaciones de enfrentamiento al estar desatendiendo las fuertes necesidades de movimiento y exploración de la infancia. Este equilibrio debe darse cuando estén en la escuela y cuando están en casa, durante las vacaciones y durante el curso.

Responder a este proceso cambiante nos exige una gran flexibilidad. En los medios educativos hemos insistido en la necesidad de poner límites, pero los límites a veces nos limitan. Es cierto que nuestros hijos necesitan coherencia en los criterios y unos límites claramente definidos, razonables y apropiados a la edad del niño que muestren las zonas de seguridad y las de riesgo, ayudándoles a crear un mundo previsible. Para esto es imprescindible indicar cómo seguirlos y hacerlos respetar.

Pero niños y niñas también necesitan que la coherencia y la previsibilidad sean inteligentes:

- Asegurando un respeto y una libertad para la acción individual que hagan posible la experiencia y la creatividad.
- Variando los límites en función del cambio continuo que supone el crecimiento, para evitar que su desarrollo se vea ahogado.
- Teniendo en cuenta las circunstancias de la vida cotidiana.

Escuchar el crecimiento

Podemos ser unos buenos padres de un niño que no anda, pero no estar preparados para serlo cuando nuestro niño comienza a dar sus primeros pasos, o viceversa. Podemos interpretar los avances como complicaciones, los juegos como travesuras, la autonomía como alejamiento o los criterios propios del niño como desobediencias.

No debemos quedarnos enganchados en fases ya superadas enjaulando al niño en un pasado que ya no significa nada para él, insistiendo en la comida y en el sueño cuando el niño está ya en su etapa de descubrimiento del mundo. O potenciando sólo la actividad, cuando ya deberíamos estar favoreciendo el autocontrol.

No podemos ir por detrás del niño, debemos ir a su lado y para esto nos ayudarán dos cosas: tener un mapa aproximado de por dónde va el desarrollo de un niño y estar a la escucha. Al hablar de escucha nos referimos a estar atentos a los cambios del niño, al inicio de acciones o progresos, a lo que «dice» su cuerpo y su mente. Significa estar dispuestos a modificar el mundo del niño para favorecer su crecimiento.

Sondas como preguntas

Debemos lanzar sondas para ver qué pasa, para ver si nuestro hijo está preparado para dar un nuevo paso y, para ello, lo que hacemos es plantear una situación un poco más difícil. Si la supera seguimos adelante, en caso contrario, volvemos atrás. No sabemos qué día exacto aprenderá a comer por sí mismo, por eso le dejamos la cuchara a mano. No sabemos si le gustará columpiarse, por eso le montamos en el columpio y le damos flojito, y si le gusta le damos un poco más fuerte y si dice «¡más!», todavía un poco más.

¿Puede un niño de veintiún meses controlar el pis? Aprovechamos el verano para quitarle el pañal, si está maduro y lo pide, ¡adelante! Pero si nos pasamos el día cambiándole la ropa y aquello sólo crea problemas, le ponemos el pañal y ya lo intentaremos dentro de unos meses. ¿Puede una niña de cuatro años hacer un puzle de cien piezas? No lo sabemos hasta que no se lo damos y lo intenta. Demasiado difícil, lo guardamos. Lo consigue, guardamos los encajes de bebé.

Construir un andamio

Un adulto capaz de escuchar sabe que hay que hacer un andamio alrededor del crecimiento de su hijo y sabe que hay que ir desmontándolo progresivamente cuando el niño crece y ya puede hacer las cosas por sí mismo.

Al cruzar un puente, cuando se está en los columpios, sabe cuándo hay que decirle que no suba, cuándo ha de darle la mano, cuándo esperar al otro lado del puente, cuándo decir simplemente «¡Ten cuidado!», cuándo no decir nada y cuándo ni siquiera estar pendiente.

Para saber cuándo quitar y poner el andamio nos ayuda tener un «plano» de crecimiento que nos dé una idea aproximada del orden en el que aparecen los diferentes hitos del desarrollo de nuestro hijo, y que nos ayude a esperarlos o favorecerlos.

Es como la curva del crecimiento de peso y estatura que nos ayuda a ver si el desarrollo físico es el correcto y, de este modo, detectar posibles problemas. Intuitivamente tendemos a buscar este «plano», por eso preguntamos a amistades y niños del parque cuántos años tienen y nos fijamos en lo que hacen para ver si se ajusta a nuestras expectativas y a lo que hace nuestro hijo. Es lo que nos tranquiliza cuando criamos al segundo hijo porque, aunque cada niño es diferente, ya sabemos más o menos lo que va a pasar y nos relajamos. Y aquí tendrían un papel clave iniciativas de intercambio de experiencias y preocupaciones promovidas por profesionales de la infancia (educadores infantiles, profesorado, pediatras y psicólogos), desde escuelas de padres a documentales, o programas televisivos que nos ayuden a formarnos sobre este importante tema.

La importancia de la intervención óptima

Lo ideal para el desarrollo infantil es realizar intervenciones óptimas: la intervención adecuada en el momento oportuno. El desarrollo infantil está ligado a un proceso de

Qué nos parece...

En los dos o tres meses previos al primer año es frecuente ver a los padres agarrando de las dos manos a sus hijos e intentando que den pequeños pasos y quejarse de los dolores de espalda que sufren como consecuencia de ir «arriñonados».

Como han mostrado las investigaciones de la doctora Pikler (1985), todos los bebés a los que se les da la oportunidad de moverse libremente y a los que se les proporciona un entorno físico interesante, con objetos en los que apoyarse y agarrarse, acabarán andando alrededor del año. En este caso la intervención óptima inicial es favorecer el movimiento creando un espacio seguro donde moverse, y la segunda intervención, una vez que el niño sabe andar con apoyos, es animarle a andar sin apoyos poniéndonos a una pequeña distancia e invitándole a acercarse a nosotros. En ese momento sí que es importante nuestra mano. Estar «arriñonados», con nuestro hijo colgando, no es una intervención óptima.

maduración neurológica que es necesario tener en cuenta. Las intervenciones educativas que no respetan esta maduración en el mejor de los casos no servirán para nada, en el peor, serán contraproducentes.

Todos los aprendizajes fundamentales que tienen lugar en los primeros años deben respetar la maduración neurológica que los hace posibles: controlar el pis y la caca, comer o leer... Adelantar la intervención puede llevar aparejada la vivencia de una situación de inseguridad y estrés en el niño, si la exigencia

Los aprendizajes fundamentales que tienen lugar en los primeros años deben respetar la maduración neurológica que los hace posibles

que le hacemos supera sus posibilidades. Insistir en que el niño aprenda algo para lo que todavía no está preparado alarga y complica los procesos de aprendizaje poniendo en riesgo la autoestima del niño y, muy importante, la relación con nosotros.

Pero intervención óptima no quiere decir que no haga falta intervenir. Los entornos carenciales, con bajos niveles de estimulación también tienen consecuencias negativas en el desarrollo infantil. Posponer la intervención puede hacer que el aprendizaje sea más difícil si no se producen las conexiones neuronales en momentos clave del desarrollo, si se trata de un aprendizaje del que dependen otros y, si el niño percibe que no hace lo que el resto de sus iguales, minando la confianza en sí mismo.

Actuar proactivamente

Tanto en nuestra actitud general, como en las respuestas cotidianas, debemos ser proactivos en vez de reactivos.

Cuando somos proactivos intervenimos de forma preventiva antes de que los problemas aparezcan o en momentos muy tempranos de su aparición. Cuando somos reactivos sólo intervenimos cuando ya no hay más remedio que hacerlo, así que normalmente lo hacemos para obligar a cumplir una norma e intervenimos enfadados.

Veamos un ejemplo. Una familia creó una rutina proactiva para los momentos de aburrimiento: cuando su hijo decía que se aburría tiraban un dado y cada uno de los seis posibles resultados estaba asociado a seis ocupaciones, que iban desde ver un ratito la televisión a que el adulto dedicara un tiempo a jugar con su hijo a lo que éste quisiera. De antemano se había previsto qué hacer en caso de aburrimiento.

Si en un restaurante calculamos que el tiempo de espera antes de la comida va a ser largo pode-

Comentamos...

Cada una de las acciones del adulto son reactivas. Los niños llevan la iniciativa y el adulto va detrás. ¿Que haría una madre «proactiva»? Llevar la iniciativa. Sabe que toda una tarde en casa puede ser difícil, para ella y para los niños, así que planifica tiempos conjuntos con sus hijos y tiempos propios. Exige, pero también da.

Cuando los niños comienzan a saltar desde la cama interviene recordando que no se puede saltar y negociando un plan alternativo para la tarde. Primero hacer algo juntos (jugar a un juego de mesa, hacer juntos un puzle, preparar unas galletas para merendar), luego un tiempo para sí misma, a la vez que ofrece a sus hijos algunas alternativas aceptables que puedan hacer solos. Si hay un rato en que no llueve propone un breve paseo entre los charcos bien pertrechados con botas de agua. Al final de la tarde rememorará las cosas que han hecho, felicitará a sus hijos por lo bien que se han portado y tal vez decidan juntos que el siguiente día que llueva en vez de galletas van a hacer una pizza.

mos actuar proactivamente organizando un paseo con nuestro hijo mientras llega la comida... quizás haya enfrente unos columpios, un acuario o un futbolín. Cuando la comida está preparada volvemos a la mesa. Al final de la comida quizás el paseo se repita u otro adulto se preste voluntario para dar otro paseo... que incluya elegir el helado.

Una madre o padre proactivo:

- Es consciente de las necesidades y de los ritmos de actividad de sus hijos y de cuando puede surgir una situación «difícil».
- Interviene con anticipación para conseguir que la conducta de su hijo sea aceptable.
- Está atento a los deseos expresados por sus hijos y toma nota de ellos desde el principio; si no puede dar una res-

Cómo abordar los pequeños y grandes conflictos cotidianos

puesta en ese mismo momento lo explicita y comenta cuánto tiempo tardará en responder.

Si sabemos que el niño va a necesitar tiempo debemos estar dispuestos a proporcionárselo por adelantado. Perderemos voluntariamente el aperitivo o parte de un tiempo inicialmente propio, pero la alternativa es acabar dedicando el mismo tiempo y, además, estaremos enfadados con el niño; a largo plazo es muy posible que tengamos que seguir interviniendo muchas más veces durante mucho más tiempo. Incluso si pensamos en nosotros mismos, en todas las cosas que necesitamos hacer, dedicar tiempo a nuestros hijos supone una inversión. Si no les dedicamos tiempo en el momento adecuado, lo único que conseguiremos es tener que dedicarle más tiempo durante más años.

Los bebés necesitan muchísimo tiempo, los niños pequeños mucho tiempo y los niños mayores necesitan saber que estamos disponibles y que les dedicaremos el tiempo que necesiten cuando sea necesario. Cuanto antes nos demos cuenta de esto, mejor para todos.

Crear entornos ricos

Una de las principales intervenciones proactivas es la creación de un ambiente rico y favorecedor del desarrollo. Las escuelas infantiles de Reggio Emilia en el norte de Italia (reconocidas como las mejores escuelas infantiles del mundo) hablan del ambiente como del tercer educador (en cada clase hay dos profesores, por eso el espacio y los materiales pueden ser considerados como el tercero). Hablan de la obligación que los adultos tenemos de crear entornos ricos que favorezcan el desarrollo de los niños.

Una de las principales intervenciones que hacemos los adultos cuando un bebé nace, es hacer una habitación acogedora donde el cambiador y la cuna se ven adornados por paredes llenas de colorido y cenefas. A lo largo de los primeros años hay una insistencia en la seguridad: tapamos enchufes, protegemos esquinas, bloqueamos el vídeo, ponemos cierres de seguridad en las puertas.

Sin embargo muchas veces no somos conscientes de que el ambiente debe acompañar el crecimiento del niño y

El ambiente debe acompañar el crecimiento del niño

mantenemos a un niño que no gatea sentado todo el día en una hamaquita, metemos a un niño que gatea en un corralito que limita sus movimientos y su exploración o, en muchas ocasiones, pasamos de la cuna de bebé a una cama y escritorio de adolescente, eliminando metros cuadrados preciosos para el juego de los primeros años. También los juguetes pueden estar tan altos que el niño depende totalmente del adulto para explorar entre ellos o tan amontonados en arcones que es imposible encontrar nada.

También debemos pensar en los espacios compartidos. La cocina, el cuarto de baño o el salón son lugares donde niños y adultos compartirán su vida. Deben estar organizados pensando en ellos y permitirles ser autónomos.

Los niños deben tener acceso a los recursos culturales de los adultos, deben ver buenas obras de arte en las paredes, escuchar buena música y poder compartir buenos libros.

Deben tener experiencias en el entorno natural y cultural: teatros, parques, exposiciones, salidas a diferentes lugares del entorno social y cultural y, lógicamente, buenos materiales para explorar y jugar.

Deben tener un acceso adecuado a su desarrollo a las complejas herramientas tecnológicas del mundo adulto (ordenadores y pantallas de todo tipo).

Entender la crianza de los niños como una tarea compartida

Hasta hace muy poco la educación cotidiana de los niños era un tema de las madres, las tías, las abuelas, o de las hermanas mayores. Actualmente el peso de la crianza recae en la madre y el padre (en el caso de las familias «clásicas»). Actualmente, los padres (los hombres) están mucho más presentes en la vida de los niños de lo que han estado los padres en prácticamente cualquier otra sociedad. Tan importante es que los padres cambiemos el «chip» y nos sintamos copartícipes de la crianza y la educación de los niños como que las madres cambien de «chip» y estén dispuestas a ceder el cariño y la ternura.

Potenciar la participación conjunta y equilibrada del padre y

Potenciar la participación conjunta y equilibrada del padre y la madre es bueno

Cómo abordar los pequeños y grandes conflictos cotidianos

la madre es bueno por varias razones:

- Nos permite hacer relevos. Hay días en que estar con los niños es muy cansado y está bien que el otro esté «al quite» («Por favor necesito que estés con el niño porque llevo toda la tarde de pelea con él») y, sin llegar a eso, interesa que seamos intercambiables porque de este modo cada uno de

---

Manuel tenía cinco años y era incapaz de aceptar la frustración. En el aula se enrabietaba ante cualquier contrariedad e interpretaba cualquier roce con otro niño como un ataque al que respondía desproporcionadamente con agresiones continuas. Cuando se le reñía no lo aceptaba y se hacía la víctima siendo incapaz de aceptar una recriminación o castigo. Manuel vivía con su madre en casa de su abuela, después de que el padre abandonara a madre e hijo. Como la madre (debido al trabajo) no pasaba mucho tiempo con el niño, los ratos que estaba con él evitaba reñirle o enfadarse. Pero cuando alguien de la familia le reñía, el niño no lo aceptaba. Cuando la abuela (su principal cuidadora) le reñía, el niño se escapaba al piso de arriba donde vivía su bisabuela que defendía al «pobre niño», pero cuando era la bisabuela quien se enfadaba, Manuel volvía a casa de la abuela utilizando el mismo truco.

En el colegio, durante la etapa de educación infantil, se intentaba favorecer su autocontrol y una actitud positiva hacia los demás, pero las peticiones a la madre para seguir una estrategia conjunta que apoyara el trabajo en el colegio no eran atendidas. Al pasar a primero de primaria la situación se fue agravando. En los primeros días Manuel agredió gravemente a dos niños (a uno con una patada en los testículos, a otro clavándole unas gafas), agresiones que le llevaron a estar el resto del curso sentado solo en una mesa.

Existe un proverbio africano que dice que para criar a un niño hace falta toda una tribu. Cuando hay diferentes adultos implicados en la crianza de un niño debe haber una coherencia en los criterios y en las normas, ya que esto es fundamental para el desarrollo infantil. Los niños necesitan un mundo coherente y previsible, necesitan percibir que existe una continuidad en la relación con las diferentes personas que se responsabilizan de ellos. Es imprescindible un verdadero trabajo de equipo en la familia que convive con el niño: padres, madres, abuelos, hermanos mayores y, si la hay, la «canguro». El trabajo en equipo sería tremendamente aconsejable si el niño acude a una escuela infantil fomentando una continuidad entre los criterios de casa y de la escuela; y sería bueno en el caso de los familiares o amigos que, aunque no vivan con el niño, le ven a menudo.

Coherencia significa tener unos principios generales comunes en la educación de nuestros hijos, un acuerdo sobre las normas que deben regular su conducta y la firme decisión de que, en el caso de que existan discrepancias, éstas se hablen sin que el niño esté presente.

nosotros tendrá tiempo para sí mismo.

- Nos permite mejorar lo que hacemos con el niño porque el otro puede actuar como observador externo y ayudarnos a ser más conscientes de la calidad de nuestras intervenciones («Creo que te has pasado cuando le has reñido por mancharse, no lo hizo con intención»).

- Permite que uno de los progenitores ayude en los procesos de negociación, aconsejando al niño sobre cómo puede actuar para solucionar una determinada situación o problema con el otro («Venga, hijo, vete a pedirle perdón a

Alberto con tres años jugaba a forzar las situaciones. Cuando su madre y su padre le decían que dejara de hacer una determinada cosa, él seguía haciendo caso omiso a reiteradas peticiones. Finalmente el padre se enfadaba e intervenía cambiándole de lugar para hacerle ser consciente de lo que había hecho mal. La respuesta típica de Alberto era echarse a llorar desconsoladamente reclamando a su madre, lo que tarde o temprano conseguía, acabando en sus brazos y siendo consolado. Finalmente la madre actuaba como mediadora entre niño y padre haciendo, por un lado, una condena verbal de la mala conducta, pero salvando al niño de las consecuencias que su comportamiento había producido.

Este segundo ejemplo, más cercano a las vivencias de una familia normal que el anterior, también ilustra la falta de coherencia entre las personas que educan a un niño. Vemos cómo la madre conserva el derecho a decir la última palabra contradiciendo o «contrahaciendo» al padre. Encontramos una rígida división entre el papel de buena y comprensiva de la madre, y el papel de malo y exigente del padre. Al final, el niño a expensas de las valoraciones contrapuestas que de su conducta hacen los adultos, puede llegar a la conclusión de que lo importante no es lo que hace sino cómo se interpreta, y así llegar a tener un pobre desarrollo de su autonomía moral.

papá, dile que le vas a ayudar a arreglarlo y que no lo vas a hacer más»).

Tener optimismo educativo

Cuando miramos a nuestro bebé boca arriba en su cuna, estamos convencidos que en muy pocos años sabrá andar en bicicleta. Cuando está en la trona, sabemos que le tenemos que dar de comer pero estamos seguros de que pronto comerá él solo...

Esta seguridad es la que nos hace tomar los «errores» o carencias de nuestro niño como oportunidades para el aprendizaje, concentrándonos en los éxitos y en los pequeños avances que consigue día a día.

Lo que deberíamos hacer

- *Ser unos padres y madres reflexivos, abiertos a plantearnos nuestra actuación como educadores y a mejorar.*
- *Mejorar el conocimiento sobre el desarrollo infantil y ser capaz de cuestionar los mitos existentes.*
- *Tener una actitud de escucha que nos haga conscientes de las necesidades y conquistas de nuestros hijos.*
- *Proporcionar coherencia en los criterios y un entorno previsible.*
- *Estar dispuestos a modificar los criterios cuando la evolución del niño o las circunstancias lo requieran.*
- *Intervenir de forma preventiva antes de que los problemas crezcan.*
- *Ver a los niños y niñas como seres investigadores, curiosos y activos que utilizan inteligentemente los recursos de los que disponen para resolver problemas y superar dificultades por sí mismos.*
- *Mostrar confianza en que pueden hacerse responsable de sus respuestas emocionales, así como de las consecuencias que provocan sus actos.*

Cómo abordar los pequeños y grandes conflictos cotidianos

No importa que el agarre de la cuchara no sea el adecuado, no importa que sus intentos no sean completamente exitosos y buena parte de la comida se quede por el camino. Valoramos que haga el intento, que intente comer solo, que venza su tendencia a comer con las manos. Nuestro hijo percibe que estamos pendientes de sus avances, por pequeños que sean y que los valoramos. Esto le enseña a verse como una persona exitosa y, lo más importante, capaz de aprender.

Del mismo modo debemos tener la convicción de que nuestros hijos llegarán en muy poco tiempo a ser personas emocionalmente competentes. El esfuerzo, el tiempo y la dedicación que dedicamos a conseguirlo será un tiempo bien empleado. Cometerán errores, pero cada vez serán más pequeños porque sabrán aprender de ellos. Puede haber momentos de retroceso (un cambio de colegio, el nacimiento de un hermano o una mala racha nuestra), pero esto no romperá nuestra seguridad en su éxito. Esto es cierto incluso en el caso de niños más mayores, más difíciles o cuyo comportamiento viene explicado por trastornos psicológicos.

Lo que no deberíamos hacer

- *Repetir sin pensar lo que hicieron nuestros padres con nosotros.*
- *Seguir las modas pedagógicas que ven a los niños como tiranos y caprichosos.*
- *Acelerar el desarrollo y quemar etapas, intentar ahorrarnos tiempo y dedicación.*
- *Pretender que sean los bebés y los niños pequeños los que se adapten a nuestras vidas y a nuestros ritmos.*
- *Ir por detrás de las necesidades y potencialidades del niño refrenando su crecimiento.*
- *Aceptar actuaciones inmaduras e inadecuadas para la edad del niño o niña.*

Una consecuencia de esto es que no tiene sentido enfadarse de verdad con los niños, como no tiene sentido que el profesor de la autoescuela nos abronque por no hacer algo que todavía no hemos aprendido. Como veremos en el último capítulo, tendremos que dirigir su conducta y darles alternativas, y esto lo tendremos que hacer con firmeza y decisión. También tendremos que mostrarles nuestro disgusto ante «malos» comportamientos, pero teniendo claro que el fin es que aprendan las consecuencias que tienen sus acciones. Como veremos más adelante, el énfasis deberá centrarse en la mejora de la conducta, evitando comportamientos que conviertan al niño de responsable en víctima.

Y cada mañana el niño debe despertarse con toda nuestra confianza. Centrado en lo que aprenderá hoy, no en lo que no sabía ayer.

¿Cuántas oportunidades les daremos para aprender? Todas las que necesiten. Hoy empieza todo.

Ideas relevantes

- *Conocer las responsabilidades, exigencias y costes que implica el hecho de ser madres y padres es fundamental para la mejora de la paternidad o maternidad.*
- *Nuestras respuestas dan significado a las acciones del niño y van conformando la imagen que el niño se hace de sí mismo y de su forma de responder al mundo.*
- *Ser conscientes de las claves personales que explican nuestras acciones nos ayudará a no repetir los errores que nuestro padre o nuestra madre pudieron cometer con nosotros.*
- *Las necesidades y capacidades de niños y niñas varían continuamente. Cada nueva etapa obliga a una reestructuración de nuestras creencias y expectativas.*
- *Lo ideal para el desarrollo infantil es realizar intervenciones óptimas: la intervención adecuada en el momento oportuno.*
- *Los bebés necesitan muchísimo tiempo, los niños pequeños mucho tiempo y los niños mayores necesitan saber que estamos disponibles y que les dedicaremos el tiempo que necesiten cuando ello sea necesario.*
- *Los entornos ricos en oportunidades favorecen una enseñanza indirecta y un aprendizaje significativo.*
- *La crianza de los niños debe ser una tarea compartida entre ambos miembros de la pareja, entre la casa y la escuela, así como entre la familia y la sociedad.*

2.

Favorecer la autoestima

Nos preguntamos...

- ¿Por qué es tan importante la autoestima?
- ¿Cómo se relaciona la autoestima con la responsabilidad y el cuidado de los demás?
- ¿Nos tomamos en serio a nuestros hijos?
- ¿Les ayudamos a crecer y verse como seres capaces?

- *Los cimientos de la autoestima: por qué es tan importante la relación entre el niño y sus principales cuidadores para construirla.*
- *Qué componentes podemos diferenciar en la autoestima.*
- *Diferentes tipos de autoestima.*
- *Qué podemos hacer para que un niño desarrolle su autoestima.*
- *Qué pasa cuando un niño no desarrolla una autoestima ajustada.*

¿Podemos hacer algo los padres y educadores para criar niños socialmente competentes, felices, confiados en el mundo, capaces de establecer buenas relaciones con los otros y de resolver creativamente sus conflictos?

Todo parece decirnos que sí, tanto los estudios antropológicos como la investigación psicosocial nos muestran que si en la educación de los niños están presentes determinadas experiencias esas competencias o habilidades se irán desarrollando y dominando progresivamente. Las primeras oportunidades para modelar los ingredientes de la inteligencia emocional se encuentran en los primeros años de la vida,

En los primeros años, el niño ha de experimentar y practicar capacidades fundamentales que le ayuden a conseguir sus deseos y necesidades sin dañar a los demás

aunque estas capacidades continúan formándose a lo largo de los años de escuela.

Un objetivo fundamental de los primeros años es que el niño experimente y practique las capacidades fundamentales que le ayuden a conseguir sus deseos y necesidades sin dañar a los demás. Cuanto más arraigadas y más temprano estén presentes estas capacidades en la personalidad de una niña o niño, más recursos tendrá para hacer frente a los conflictos en su vida (incluidas esas pequeñas disputas cotidianas con sus padres por la ropa que se ponen o por la cantidad de comida que deben comer).

Si durante los primeros años no aseguramos que haya una

comunicación eficaz entre padres y niños, que el lenguaje verbal tenga una presencia constante en la relación y que los niños se vean a sí mismos como personas poderosas y creadoras, va a ser muy difícil que podamos dar una buena respuesta a los problemas que el crecimiento implica.

Además estas capacidades también tienen importancia para hacer frente a los problemas que surgen en su aprendizaje. Un informe del National Center for Clinical Infant Programs concluye que el éxito escolar no se predice por una acumulación infantil de datos o una habilidad precoz para leer sino por indicadores emocionales y sociales: ser asertivo y tener interés; saber qué tipo de conducta se espera de uno y cómo controlar el impulso para una mala actuación; ser capaz de esperar, seguir directrices y acudir a los profesores para solicitar ayuda; y expresar las necesidades propias mientras se está con otros niños...

Lo que los adultos decimos y hacemos es clave para que el niño aprenda estas capacidades. Y cuánto más pequeño el niño, más

importante. Y cuando es bebé, puede condicionar toda una vida.

Así que dedicaremos esta segunda parte del libro a darle vueltas a lo que tenemos que hacer para conseguir que un niño desarrolle estas cualidades, centrándonos en el desarrollo de la autoestima y de la comunicación.

En los primeros momentos de la vida del niño todo está entretejido, todo es autoestima, comunicación y consuelo al mismo tiempo. Sólo cuando crezca podremos ir diferenciando estas capacidades, por eso, aunque se tratan de forma separada, estos dos capítulos deben leerse como una unidad.

Cuando un niño pequeño ve que sus necesidades son tenidas en cuenta aprende que es un ser merecedor de amor (autoestima).

Cuando sus quejas o llantos son respondidos de forma inmediata aprende que hay alguien que responde al llanto que anuncia una necesidad (comunicación).

Cuando el niño muestra su impotencia con una rabieta y el adulto le ayuda a tranquilizarse, a reconocer con él sus necesidades y a buscar otras maneras de expresarlos está aprendiendo el abecé de la autoestima, la comunicación, la empatía y el consuelo.

Cuando esto no se produce a su debido tiempo será necesario «volver» hasta aquí; es el caso de los niños adoptados cuando ya han pasado por esta etapa; es lo que sucede en muchas aulas de educación infantil donde profesores dedicados pueden retejer un mal inicio.

Si la vivencia profunda del niño ha estado marcada por la incomunicación y por el desamor, puede ser necesario retejer esta urdimbre aunque el niño sea mayor y los llantos indefensos del bebé hayan sido sustituidos por agresiones o rabietas que son un indicador claro de su impotencia. La experiencia de ser hijo se centra en la omnipotencia de los cuidadores y en la incondicionalidad del amor, y cuando esto no se ha transmitido no es extraño que surjan problemas. Pero podemos ser optimistas, si un buen entorno educativo escolar puede solucionar parcialmente esta ruptura, creando lugares seguros donde el niño es respetado incondicionalmente, ¿cómo dudar de la posibi-

lidad que tenemos los padres de remediar un involuntario mal comienzo?

La importancia de la autoestima

La autoestima es una habilidad básica que debemos desarrollar desde niños para hacer frente a los conflictos y a las dificultades de la vida, sean del tipo que sean, es decir, tanto con nuestros retos personales y con nuestros aprendizajes como en la relación con otras personas. La autoestima nos proporciona seis convicciones básicas que nos permiten crecer como seres individuales y sociales:

- Una sensación de aceptación y control del propio cuerpo, de los comportamientos y del mundo.
- La convicción profunda de que ante las dificultades que surgen es más probable el triunfo que el fracaso.
- La confianza en que los demás (empezando por los adultos) pueden proporcionarnos ayuda.
- Una actitud abierta a descubrir e intentar cosas nuevas.

- El deseo y la capacidad para tener un «proyecto personal», y para actuar con persistencia para conseguirlo.
- La habilidad para controlar las emociones.

Como vemos, no se limita, como plantean algunas simplificaciones, a ser consciente de que hacemos algunas cosas bien. («Venga, vamos a trabajar la autoestima, haz una lista de cosas en las que eres bueno, y después di una cosa buena de tu amigo»), visión que se da en multitud de manuales y de propuestas escolares.

La autoestima es algo mucho más profundo, una visión optimista de nosotros y de la vida que nos permite hacer frente a los desafíos cotidianos y a la aventura de crecer; la confianza en que podemos conseguir lo que queremos y no dudar de que merece la pena trabajar por ello; y, algo muy importante, la tendencia a ver a las personas que nos rodean como un apoyo y no como un peligro...

Un niño con una buena autoestima o autoconfianza o seguridad en sí mismo probará diferentes alternativas ante un problema, será capaz de esperar para conseguir lo que quiere y superará sus frustraciones mostrando un autocontrol sobre sus emociones.

Desde que un niño nace se enfrenta continuamente a desafíos, nuevos aprendizajes y despliegues progresivos de autonomía. Si les hace frente de forma confiada, dispondrá de una de las claves para el éxito en su vida emocional, social, laboral. Por contra, dudar de su capacidad para hacer frente a estas situaciones, viviendo cada nueva situación como un posible fracaso, le irá haciendo vulnerable, le hará vivir a la defensiva y proyectar esta indefensión y este miedo hacia los demás. La ausencia de autoestima le puede llevar a culpar a los demás de sus dificultades, acusándoles de no haberlas evitado y considerándoles como la causa de sus problemas.

La autoestima está vinculada al desarrollo de la autonomía física, moral e intelectual así como al ejercicio de la responsabilidad

Un niño con una buena autoestima será capaz de esperar para conseguir lo que quiere y superará sus frustraciones mostrando un autocontrol sobre sus emociones

frente a uno mismo, frente a los otros y frente a las normas sociales. Como veremos más adelante, pretender que los niños respeten la norma social sin asegurarnos de que respeten los compromisos consigo mismos y con sus iguales es un error; si un niño no se respeta es muy difícil que lo haga con una norma que responde a un acuerdo social del que él no ha formado parte.

Qué nos parece...

María era una niña de cinco años a la que todo se le hacía un mundo, era insegura físicamente y en muchas actividades buscaba la mirada de aprobación del adulto; se hizo uña y carne de Carmen, una niña calculadora y fría que le proporcionaba el modelo de seguridad que ella no tenía, aunque en muchas ocasiones Carmen le despreciara o, por envidia, desvalorizara juguetes o ropas de las que inicialmente María presumía (María no se pondría un abrigo si Carmen le decía que era «muy feo»).

Ignacio era un niño de cinco años muy violento, que intentaba conseguir constantemente lo que quería con rabietas (si se trataba de un adulto) o pegando (si se trataba de sus compañeros); pero cuando en una salida escolar le tocó dormir fuera de casa se mostró enormemente inseguro y dependiente del adulto, además pidió ayuda para evitar que sus compañeros supieran que dormía con pañales.

Manuel, cinco años, lloraba cada vez que se encontraba una nueva tarea escolar diciendo «no lo sé hacer»; pero se reía de los demás cuando les salía algo mal.

Cuando a Isabel le salía algo mal se enfadaba con su madre culpándola de su fracaso y echándole en cara que no le hubiera ayudado.

Víctor debía tener siempre un juguete en la mano, en cualquier momento del día.

Cómo abordar los pequeños y grandes conflictos cotidianos

Si un niño no tiene la estabilidad y el optimismo que le proporciona la autoestima acabará dedicando mucho más tiempo y energía a sustituir esta carencia y, en muchas ocasiones, intentará sustituirla de maneras dañinas para sí mismo o para los demás: dependencias, miedos exagerados, comportamientos defensivos, comportamientos competitivos, búsqueda constante del reconocimiento por parte de otros, actitudes de dominio hacia los compañeros, monocultivo de alguna capacidad en la que sí se tiene éxito (como ser gracioso) o una mezcla de ellas.

Cuando somos competentes no necesitamos competir, cuando tenemos autoestima no nos hace falta mendigar la aprobación de otro, cuando tenemos confianza en nosotros no nos importa reconocer nuestras equivocaciones... Cuando confiamos en el mundo nos atrevemos a elegir nuestro propio camino.

El desarrollo de la autoestima

Hemos visto que esta capacidad se fija muy tempranamente y que su ausencia puede ir condicionando el futuro del niño. Un niño con una baja autoestima corre el riesgo de ir reduciéndola con el paso del tiempo, según se vaya encontrando con desafíos más difíciles; en cambio, un niño con una buena autoestima ira diversificando y profundizando sus «saberes». En poco tiempo la diferencia entre dos niños puede ser enorme. La pregunta es cómo ayudamos a un niño a desarrollar la autoestima, cómo le transmitimos la confianza en su capacidad para superar las dificultades, cómo le hacemos optimista sobre el mundo y su relación con él.

Los niños pequeños son absolutamente dependientes de los padres (o principales cuidadores) para la construcción de su autoestima.

Un niño aceptado, a quien se le transmite confianza en sí mismo se aceptará y se mostrará confiado.

Los primeros días, los primeros meses, el primer año y medio son fundamentales para el desarrollo de la autoestima. Y a partir de este momento, cuanto antes se solucione una posible falta de autoestima, mejor.

La opinión del grupo de iguales irá teniendo una creciente importancia a lo largo de la etapa escolar hasta llegar a la adolescencia, momento en que la aceptación por parte del grupo cobra la máxima importancia. De ahí la vulnerabilidad, en esta edad crítica, ante los fenómenos de acoso escolar a manos de sus compañeros que, como hemos visto últimamente, pueden llegar a acabar de forma trágica.

Cuando somos adultos nuestra autoestima ya no depende de las valoraciones externas, aunque podemos seguir siendo vulnerables a la opinión de determinadas personas o en situaciones muy determinadas.

Los cimientos de la autoestima

Como veremos más detenidamente en el capítulo dedicado a la comunicación, la relación que se establece entre el bebé y sus principales cuidadores tiene una enorme repercusión en cómo un niño construye su autoestima, estableciéndose en este momento patrones de expectativas, relaciones y conductas que permanecerán estables durante muchos años. Existen dos condiciones imprescindibles para que un bebé construya su autoestima:

- Verse aceptado como una persona que merece ser amada.
- Ser reconocido como una persona capaz de actuar en el mundo.

Los niños necesitan saber que son queridos por el mero hecho de existir, de forma incondicional. Necesitan saber que sus necesidades son buenas y que son aceptadas: la comida, el sueño, la limpieza, el consuelo ante el malestar, el juego y la comunicación ante el aburrimiento y el desasosiego. Los bebés necesitan saber que existen la felicidad, la tranquilidad, la satisfacción y el bienestar. Y esta sensación profunda sólo la puede proporcionar el adulto que durante mucho tiempo funciona como una prolongación del niño (a veces somos sus piernas, a veces sus brazos, a veces su voz interior) haciendo lo que al niño le resulta imposible. Podemos llamar a esto la autoestima del «ser».

Un niño que no es aceptado en su globalidad tendrá una gran dificultad para construir su autoestima. Un bebé a quien no se atiende adecuadamente sus necesidades físicas y psicológicas, que debe protestar para ser tenido en cuenta o que es tratado con desapego (no se le habla, no se le sonríe, no se le achucha, no se le dedica tiempo...) comenzará a ver el mundo como un lugar inhóspito y a sí mismo como un ser poco importante e inhábil para conseguir sus deseos.

Pero los niños también necesitan que valoremos adecuadamente sus pequeños logros y que les mostremos nuestra satisfacción por ver cómo van ampliando lo que saben hacer. Necesitan que les proporcionemos posibilidades de poner en práctica sus variadas potencialidades. Y necesitan que nos centremos en sus avances y no en sus errores. Podemos llamar a esto la autoestima del «hacer».

Si un niño se encuentra con demasiados «noes» y «recriminaciones», éstos limitarán la confianza en sí mismo así como la posibilidad de explorar y crear. Se ha comprobado que las madres que evitan controles reguladores, confían en las posibilidades de sus hijos y realizan peticiones orientadas a la acción en cualquiera de los campos (autonomía del niño, cuidado de los otros) tienen hijos más sociables y con menos problemas de conducta a los cinco años que aquellos cuyas madres centran sus intervenciones en peticiones del tipo «no hagas» insistiendo en la regulación de la conducta personal y cuestionan la valoración de los niños con comentarios negativos. La conclusión es sencilla, debemos proporcionar al niño un entorno y unas reglas del juego que le permitan ser exitoso y que nos permitan «pillarle» muchas más veces actuando «bien» que «mal».

Un niño que no es aceptado en su globalidad tendrá una gran dificultad para construir su autoestima

Los niños necesitan que valoremos adecuadamente sus pequeños logros

Tanto la autoestima del «ser» como la del «hacer» deben estar presentes en el día a día del niño y debe haber un equilibrio entre ellas, porque si sólo le valoramos por «ser» podría despreocuparse de las consecuencias de sus acciones, convirtiéndose en un principito caprichoso al que todo se le justifica y que jamás debe dar cuenta de sus acciones. Y si sólo valoramos a un niño por lo que «hace» le podríamos estar condicionando a hacer cosas constantemente para ganarse nuestra valoración.

En el caso de los niños pequeños esto puede suceder cuando somos muy exigentes con su desarrollo, exigiéndole que haga cosas para las que no está preparado. Y en el caso de los más mayores, cuando ponemos a los niños a competir con los otros desde edades muy tempranas, sea en los estudios, en el deporte o en cualquier ámbito de la vida.

En la realidad ambas intervenciones, ser y hacer, no van cada una por su lado, apenas hay situaciones que favorezcan sólo la autoestima del ser o sólo la del hacer.

Acciones concretas que podemos hacer para desarrollar la autoestima

De la revisión de algunas propuestas sobre cómo mejorar la autoestima de los niños, muchas veces consistentes en largas listas de actuaciones, hemos intentado crear un esquema sencillo que favorezca tanto la comprensión como la intervención.

Las cuatro grandes cosas que podemos hacer para que nuestros niños vayan progresivamente construyendo su autoestima, son las siguientes:

- Expresar nuestro afecto y nuestro amor clara y repetidamente, evitando conductas agresivas.
- Tener una actitud positiva hacia los hijos que muestre confianza en su capacidad de crecer.
- Mostrar interés por las cosas que hacen y valorarlas.
- Tenerles en cuenta en las decisiones que les afectan y, en general, en la vida cotidiana.

Expresar nuestro afecto y nuestro amor clara y repetidamente, evitando conductas agresivas

Expresarles afecto

Nuestro hijo necesita sentirse totalmente aceptado y, para ello, debemos manifestarle nuestro amor cotidianamente. Necesitan encontrarlo en nuestra voz, en nuestra mirada y en nuestro cuerpo. Y necesitan que este mensaje forme parte de todos los momentos de relación. Es decir que no se limite a los momentos de juego sino que esté presente en los momentos de limpieza, alimentación y sueño, proporcionando un entorno cálido.

Es importante entender que, aunque los adultos nos podamos conformar normalmente con la voz y la mirada, los niños también necesitan muestras de afecto corporales (besos, caricias, achuchones y cosquillas). En los primeros años las sensaciones producidas en el cuerpo del niño son mensajes más fuertes y más claros que los mensajes verbales, de modo que «escribir» nuestro afecto en el cuerpo del niño es una forma de hacerle llegar claramente nuestra aceptación. Las sensaciones producidas por este contacto físico favorecen la producción de endorfinas que aseguran el bienestar infantil.

Si nos fijamos en los juegos tradicionales dirigidos a los niños pequeños nos encontraremos con que todos toman como tablero de juego el cuerpo del niño y en todos existe contacto físico (masajearlo, recorrerlo, hacerle cosquillas, hacerle girar dando vueltas, darle volteretas, balancearle, lanzarle al aire...).

Según el niño va creciendo podremos diversificar la manera de hacerle llegar nuestra aceptación y felicidad por compartir la vida con él, pero incluso cuando son mayores habrá momentos donde necesiten un achuchón físico que les recoja y que les permita sentirse tan protegidos y tan amados como cuando eran bebés.

Evitar conductas agresivas por parte de los adultos

En nuestra sociedad el castigo físico está ampliamente aceptado. Según una reciente

En los primeros años las sensaciones producidas en el cuerpo del niño son mensajes más fuertes y más claros que los mensajes verbales

encuesta el 60% de los consultados justificaba la utilización de una bofetada o azote para corregir la conducta de un niño. Se sigue oyendo, en todo tipo de ambientes, que un azote a tiempo evita males mayores o se relativiza su importancia con respecto al maltrato psicológico, como diciendo que más vale algunas pequeñas agresiones físicas que un maltrato psicológico prolongado.

Pero las conclusiones de los estudios son claras. Primera: gritarles está mal, insultarles peor, y pegarles mucho peor. Segunda: el castigo genera en el niño sentimientos de baja autoestima, un niño educado en la violencia tendrá miedo a vivir nuevas experiencias. Tercera: los niños a los que se pega en casa son aquellos más violentos y con más probabilidades de ser «abusones» en el colegio.

En 1989 el antropólogo y biólogo social Ashley Montagu, que ha dedicado su vida a estudiar el papel de la cooperación en la evolución de nuestra especie, envió a la asociación PTAVE (Parents and Teachers Against Violence in Education – Padres y Profesores Contrarios a la Violencia en la Educación) un texto contra la utilización del castigo físico contra los niños, una parte del cual consideramos importante reproducir a continuación:

Cualquier forma de castigo corporal es un ataque violento contra la integridad del ser humano. Pegar a un hijo es la peor violencia porque aterroriza al niño que lo experimenta tanto física como emocionalmente. Sus efectos combinados permanecen con la víctima para siempre y se convierte en una parte de la personalidad que es imposible olvidar, una profunda frustración que provoca una hostilidad que se expresará posteriormente en la vida en actos violentos contra otras personas. Cuanto más pronto comprendamos esto y aprendamos que el amor y la dulzura son los únicos tipos de conducta admisibles con los niños, incluso cuando pensamos en situaciones que nos «ponen a prueba», mejor. ¿Para qué estamos los padres, madres y el resto de personas que cuidan de los niños si no es para tener paciencia ante estas pruebas? El amor tiene una disciplina y una firmeza que nada puede igualar. El niño o niña aprende a ser

Los niños a los que se pega en casa son aquellos más violentos y con más probabilidades de ser «abusones» en el colegio

Cómo abordar los pequeños y grandes conflictos cotidianos

el tipo de ser humano que ha experimentado y aprende más fácilmente en un entorno afectuoso que en uno punitivo. Esto debería ser comprendido claramente por todos los cuidadores presentes y futuros[3].

¿Para qué estamos madres y padres?

Tener una actitud positiva hacia los hijos que muestre confianza en su capacidad de crecer

Favorecer la autonomía del niño

A lo largo del día hay incontables situaciones en las que el niño puede poner en práctica su autonomía y verse como una persona competente capaz de superar nuevos retos. Las situaciones concretas variarán tanto con la edad del niño como en la estimulación que se haya hecho de su autonomía, así que no se trata tanto de que un niño tenga que hacer algo a una determinada edad. Se trata en primer lugar de que no hagamos por él lo que el niño puede hacer por sí mismo y, en segundo lugar, de mostrarle la confianza en que puede conseguirlo.

El énfasis debe estar en las expectativas, no en las exigencias. Las expectativas son respetuosas con el desarrollo del niño, las exigencias no. Nuestro hijo tiene que ver que confiamos en sus posibilidades, no que le examinamos. Cuando le animamos a hacer por sí mismo algo que calculamos que puede hacer, le estamos enviando un mensaje claro de confianza en sus posibilidades de acción y en su capacidad para aprender, algo muy distinto a cuando le exigimos que haga algo para lo que no está preparado. En el primer caso un fracaso nos lleva a revisar las expectativas para asegurarle el éxito, en el segundo a multiplicar las exigencias conduciendo al fracaso. Cuando proporcionamos a nuestro hijo una situación que acabará en un éxito le estamos ayudando a verse como

No hagamos por él lo que el niño puede hacer por sí mismo

---

3. Mensaje de Ashley Montagu al PTAVE, *http://silcon.com/~ptave/montagu2.htm*, 13 de marzo de 1989.

Cómo abordar los pequeños y grandes conflictos cotidianos

una persona competente y con un enorme potencial para el aprendizaje.

Debemos ver el conjunto de aprendizajes que el niño va a realizar en su infancia como conquistas en su capacidad para hacer cada vez más cosas por sí mismo, para buscar sus propias estrategias y, en definitiva, para verse como un ser competente y poderoso.

Dejar que aprendan a su ritmo sin presionarles

No deberíamos enseñar a un niño lo que pueda aprender por sí mismo y no deberíamos intentar que un niño aprenda algo antes de que pueda aprenderlo sin dificultad.

La psicología nos ha mostrado que el niño no es un receptor pasivo de conocimientos sino un activo constructor de relaciones y de significados. Muchas veces pretendemos forzar el desarrollo del niño para lo que utilizamos motivaciones extrínsecas, pero la motivación que un niño necesita para superar con éxito la sucesión de aprendizajes con los que se encontrará debe ser, fundamentalmente, interna.

Dar tiempo al niño para aprender es una de las mejores intervenciones que podemos hacer por él, eficaz tanto desde el punto de vista de la autoestima como de los aprendizajes. El psicólogo menorquín Viçenc Arnaiz[4] señala que la prisa actual por que los niños anden cuanto antes está llevando a que los niños de año y medio tengan miedo a caerse porque no han aprendido, en su momento, a levantarse. Aprender a andar, que debería ser una conquista para el niño en su capacidad de alcanzar cosas y desplazarse se convierte en un acto que responde más a la iniciativa de sus padres que a la suya. Llevados de la mano de sus padres se han saltado fases en el aprendizaje.

Y esto sucede con montones de aprendizajes; exigirlos antes de tiempo, antes de que el niño pueda afrontarlos con éxito puede hacer dudar al niño de su capaci-

---

4. Conferencia «Educación y tiempo. Procesos y esperanzas» en I Jornadas de Educación Infantil de CSEU La Salle *La emoción de aprender. Una visión de la educación infantil desde la metodología de proyectos.* Madrid, 19 de noviembre de 2004.

dad para conseguirlos aumentando las posibilidades de fracaso y frustración. Desde el control de esfínteres a la suma con fracciones, pasando por la socialización de los niños, lo que debería ser fácil y gratificante se convierte en complejo, aburrido y extenuante.

Debemos confiar en los niños y en su capacidad para crecer y aprender: lo normal es que hablen, anden, controlen esfínteres, lean, escriban, naden, monten en bicicleta y se hagan mayores responsables con muy poco que pongamos de nuestra parte. Cuanto más protagonistas sean los niños de sus propios aprendizajes y cuanto más respondan a su iniciativa, sus deseos e intereses, mejor.

Utilizar motivaciones externas para que los niños aprendan cosas que nos parece lógico que aprendan puede, paradójicamente, bloquear su capacidad de aprendizaje; el uso de premios y castigos, sean materiales o psicológicos, hace que los niños hagan las cosas por razones diferentes (agradarnos a nosotros o conseguir otra meta) a las que deberían impulsarles, desligándoles de la gratificación intrínseca que proporciona el verse crecer y

ser cada vez más poderosos. Cuando en algún momento debamos utilizar este tipo de motivación debemos ser conscientes de que su utilización debe ser limitada en el tiempo y dirigida a que el niño aumente la conciencia sobre el comportamiento de que se trate, haciéndola desaparecer rápidamente.

Queremos niños que se apasionen por aprender, niños investigadores y curiosos que no se detengan ante las dificultades, niños y niñas capaces de proponerse nuevas metas y de buscar la manera de alcanzarlas. No queremos niños dependientes de los adultos o de los premios.

Permitirle sentirse exitosos en una variedad de situaciones

No sólo debemos respetar su ritmo de aprendizaje, también debemos asegurarnos de que consiguen pequeños éxitos cotidianos en las diferentes facetas de su vida:

- En su capacidad de actuar de forma autónoma.
- En su capacidad de relacionarse con los demás.

Cuanto más protagonistas sean los niños de sus aprendizajes y cuanto más respondan a su iniciativa, sus deseos e intereses, mejor

No queremos niños dependientes de los adultos o de los premios

- En su capacidad de moverse.
- En su capacidad de comunicarse y utilizar el lenguaje.
- En su capacidad de pensar sobre las relaciones entre los objetos.

Es difícil saber qué hay que hacer para preparar a un niño para un determinado aprendizaje y más difícil en qué momento exacto un niño está preparado para ese determinado aprendizaje. Por esta razón, en la educación de los niños suelen ser más eficaces las intervenciones indirectas que las directas. Como ya hemos señalado, una de las mejores maneras de intervenir es proporcionarle un entorno rico y variado que favorezca el

Qué nos parece...

Volvamos al ejemplo de aprender a andar que ya hemos utilizado. En un caso, tenemos al niño sentado en una hamaquita donde el bebé sólo puede agitarse hasta los once meses, momento en que entendemos que debe empezar a aprender a andar y en el que le haremos dar pequeños pasos mientras le mantenemos de pie con ambas manos.

En otra intervención el adulto proporciona desde los tres meses situaciones que permiten al bebé explorar los movimientos de su cuerpo, mover las piernas, levantar la cabeza, girarse de boca arriba a boca abajo y comenzar a desplazarse rodando. Aprovecha para ello los momentos del cambio de ropa y, además, proporciona un espacio seguro, como una manta de juegos, donde el bebé pueda moverse. Cuando el niño empieza a desplazarse reptando o gateando pondrá barreras en las habitaciones donde no puede entrar por peligrosas, como la cocina y tapará los enchufes. Cuando comienza a incorporarse quitará del salón aquellos objetos con los que pueda tropezar, hacerse daño o romperlos pero mantendrá sofás, sillas y otros objetos que sirven de apoyo y proporcionan interés a las exploraciones del niño.

Cómo abordar los pequeños y grandes conflictos cotidianos

En el primer caso estamos intentando enseñarle a andar directamente. Sin embargo, hemos empobrecido su entorno reduciendo su capacidad de movimiento, tanto al mantenerle sentado como al hacerle andar a nuestra manera. Entorno pobre y enseñanza directa.

En el segundo, estamos estableciendo un entorno seguro y rico que anima al niño a moverse haciendo que aumenten sus posibilidades de éxito y se reduzcan las posibilidades de fracaso. Existe la convicción de que el niño comienza el aprendizaje del andar mucho antes de que llegue el año y que para conseguirlo debe ser activo y realizar diferentes movimientos que le ayuden a fortalecer los músculos que necesitará para andar. El niño es quien elige el momento de gatear, de incorporarse, de ir agarrado a los muebles y de soltarse a dar unos pasos. Las ayudas del adulto van dirigidas a dar seguridad y resolver situaciones complicadas. Resumiendo: entorno rico y enseñanza indirecta.

desarrollo. Esto le permitirá practicar por su propia iniciativa diferentes habilidades, encontrándose continuamente con retos adaptados a sus cambiantes necesidades.

También desde un principio enriquecemos el entorno del niño dándole objetos que le permiten investigar y jugar. Le damos objetos diversos que le invitan a realizar diferentes acciones por su propia iniciativa. Las situaciones de juego y de exploración dan al niño la oportunidad de ponerse metas y superarlas ayudándole a sentirse competente. El primer objeto que pondremos en sus manos será un sonajero que le ayudará a coordinar la vista, el oído y la mano, ayudándole a ejercitar esquemas de acción. Los objetos que ponemos en mano de los niños deben ganar riqueza y complejidad, según crecen, aumentando y diversificando sus oportunidades de acción, creación e invención.

Las herramientas y los materiales que tiene un niño a su alcance tienen una relación directa con el desarrollo de sus potencialidades. Una máquina de escribir al alcance de un niño de tres o cuatro años le animará a explorar los sonidos y las letras, una lupa a fijarse en los objetos, una raqueta a jugar al tenis, un arco a lanzar flechas con puntería y un dispensador de papel celo a hacer *collages*. No es lo mismo herramientas que máquinas. Las máquinas son herramientas sofisticadas que hacen al niño seguir un plan de acción previsto de antemano por quien ha diseñado la máquina (como sucede con los ordenadores). Deberíamos darnos cuenta de que los niños piensan con las manos, piensan cuando actúan. Y las herramientas potencian esta actuación.

En el caso de la lectoescritura el contacto precoz con libros, cuentos, estructuras rítmicas y juegos lingüísticos son la forma indirecta de fomentar un entorno rico que permita hacer frente a los cinco o seis años a la comprensión del sistema que codifica de forma escrita el lenguaje oral. En la escuela Gençana de Valencia, incluso los niños muy pequeños tienen acceso a libros de adultos que forman parte de su biblioteca de aula, de igual modo que los niños pueden hojear en su casa no sólo cuentos sino libros y enciclopedias. Parece lógico ¿no?

Las herramientas permiten a los niños extender su pensamiento. En un primer momento las herramientas serán manipulativas pero posteriormente las herramientas se convierten en las organizadoras de las ideas (calendarios, listas, mapas, registros y esquemas) que les ayudan a estructurar el pensamiento... y a crearlo.

Nos debemos plantear si estamos proporcionando las herramientas adecuadas a los niños según crecen porque una parte importante de los problemas para el aprendizaje y de la falta de autoestima necesaria para enfrentarse a él con éxito puede provenir de una falta de herramientas o de la utilización de herramientas inadecuadas. Por ejemplo, una enseñanza de las matemáticas que no aprovecha las estrategias manipulativas del niño ni respeta

Cómo abordar los pequeños y grandes conflictos cotidianos

su necesidad de efectuar concretamente las operaciones, insistiendo en la utilización temprana de codificaciones simbólicas, es una de las causas de los problemas de muchos niños y adultos ante esta materia.

Ayudarles a dedicarse a algo que les guste y en lo que sean buenos

También en los últimos años ha cambiado la idea de que todos los niños aprenden lo mismo de la misma manera al mismo tiempo. Cada niño no sólo tiene su propio ritmo sino su propio estilo de aprendizaje que depende de su personalidad, de su experiencia previa, de sus gustos y de las capacidades en las que va destacando. Le podemos llamar individualización de la enseñanza, atención a la diversidad o respeto de la subjetividad, pero la idea es la misma: cada uno de nosotros somos diferentes.

Howard Gardner, psicólogo de la Universidad de Harvard, ha elaborado la teoría de las inteligencias múltiples[5]. Según esta teoría existen al menos siete inteligencias que ponemos en práctica en nuestra vida profesional o personal: musical, cinético-corporal, espacial, intrapersonal e interpersonal, lingüística y lógico-matemática. No todas las ocupaciones requieren las mismas combinaciones: un cirujano puede precisar una buena inteligencia cinético-corporal y espacial, mientras que un bailarín necesitará la inteligencia cinético-corporal y la musical. Gardner plantea que el empeño en centrar el aprendizaje en la inteligencia lingüística y lógico-matemática condena al fracaso a muchos niños y que una educación de calidad debe tener en cuenta las capacidades de los niños y construir sobre ellas.

La propuesta es asegurar que todos los niños sean muy buenos al menos en una cosa que les guste, algo a prueba de fracasos, algo de lo que se sientan orgullosos o especiales. Un seguro para su autoestima y su dis-

Debemos asegurarnos de que todos los niños sean muy buenos al menos en una cosa que les guste, algo a prueba de fracasos, algo de lo que se sientan orgullosos o especiales

---

5. GARDNER, H. (1995): *Inteligencias múltiples. La teoría en la práctica.* Barcelona. Paidós.

Cómo abordar los pequeños y grandes conflictos cotidianos

posición al aprendizaje que no pueda bloquearse, una especie de flotador al que agarrarse en los peores momentos. Lo segundo importante es enganchar el resto de los aprendizajes sobre esta capacidad destacada.

La idea no es especializar al niño, se trata de utilizar las capacidades destacadas como un punto en el que hacer palanca para desarrollar el resto de habilidades, fomentando y favoreciendo el aprendizaje en su conjunto.

Darles responsabilidades

Actualmente los niños pueden pasar su infancia sin ser responsables ante los demás o ante sí mismos; al contrario que en otras sociedades o en otros momentos de nuestra historia, puede que la única responsabilidad que tenga un niño sea ir al colegio e ir bien en los estudios, algo demasiado abstracto para ser eficaz. Los niños deberían experimentar tres tipos de responsabilidad: ante la norma, ante el grupo social y ante sí mismos.

La responsabilidad ante la norma es fácil de comprender

Los niños deberían experimentar tres tipos de responsabilidad: ante la norma, ante el grupo social y ante sí mismos

para un adulto pero en el caso de los niños sucede que las normas suelen haber sido elaboradas sin contar con ellos convirtiendo a este tipo de responsabilidad en la más difícil de adquirir.

En cambio, la responsabilidad ante el grupo social es fácil de poner en práctica, incluso con niños muy pequeños, y les permite vivenciar otra visión de la autoestima, la de sentirse reconocido por el grupo y colaborar con su bienestar (sea la familia o el grupo-clase en el colegio). En todas las sociedades los niños han colaborado en tareas como el cuidado de los hermanos o en las labores agrícolas, en una introducción gradual a la responsabilidad que conlleva ser adulto.

Un niño que es responsable de determinadas tareas, en casa o en el colegio, aprende tres cosas:
- Que es suficientemente mayor para que confiemos en él.
- Que su colaboración es necesaria para que las cosas funcionen adecuadamente.
- Que se le valora por ello.

Deberíamos incluir en la vida cotidiana un montón de pequeñas

Cómo abordar los pequeños y grandes conflictos cotidianos

tareas que los niños pueden hacer por sí mismos: vestirse, poner la mesa, recoger los juguetes, llevar la ropa sucia a la lavadora, hacer la lista de la compra, regar las plantas, hacer su cama...

La responsabilidad sobre sí mismo tiene mucho que ver con la autonomía y con el cuidado de su persona que ya hemos analizado, pero hay un aspecto esencial que es la capacidad de entretenerse, de dar sentido a su tiempo libre haciendo planes y desarrollando proyectos. En esto es un mal amigo el ocio enlatado que hace al niño dependiente de las pantallas dándole una engañosa sensación de cambio y actividad.

Mostrar interés por las cosas que hacen y valorarlas

Hacer cosas juntos

Jugar con los niños es una de las mejores formas de demostrarles nuestro amor, respeto, interés y ganas de estar con ellos o ellas. Involucrarnos en su juego les transmite el mensaje de que su actividad y sus intereses son importantes.

Debemos participar en su juego respetándolo y dejando que el niño lleve la iniciativa. Para ello utilizaremos tres estrategias:

- Copiar a modo de espejo sus acciones creando una situación de juego en paralelo que invite a la interacción.
- Responder a una interacción concreta de nuestro hijo que nos demanda algo.
- Sugerir pequeñas variaciones si el juego parece empobrecerse o se hace repetitivo.

Puede ser jugar, pero también puede ser pintar juntos, ver juntos una película que le guste, preparar juntos una *pizza*, jugar a las palas en la playa, nadar en la piscina o dar volteretas tras el baño...

La primera idea es que compartir un interés con el niño le transmite nuestra valoración por ese interés y le hace sentirse un interlocutor competente.

La segunda idea es que dejarle la iniciativa le enseña que confiamos en él y en sus propuestas. Se trata de hacer junto con nuestro hijo lo que a él le guste hacer con nosotros, dejan-

Se trata de hacer junto con nuestro hijo lo que a él le guste hacer con nosotros, dejando que sea él quien proponga y quien marque los ritmos

do que sea él quien proponga y quien marque los ritmos. Es esencial comprender que no se trata de transmitirle nuestras aficiones sino de valorar sus intereses.

Muy pronto el abanico de actividades que un niño es capaz de llevar a cabo con nosotros crecerá en una diversificación asombrosa de sus capacidades e intereses, creando complicidades y momentos compartidos.

Valorar y apoyar sus progresos, cualidades, destrezas e ideas

Explicitar nuestra valoración
Al principio de este capítulo cuestionábamos la idea de que la autoestima se construyera a partir de la conciencia de que hacemos bien unas cuantas cosas y hemos dedicado un importante espacio a mostrar otras propuestas que debemos poner en práctica. Pero mostrar nuestra valoración y animar al niño a valorar las conquistas y los logros que va realizando también tiene un importante papel en la consolidación de una autoestima positiva.

A los niños les gusta que valoremos sus éxitos así que nuestra opinión es enormemente importante para ellos. Desde muy pequeños, alabarles por las cosas que hacen bien les animará a seguir haciéndolas.

Es necesario que aprendamos a ver el mundo desde los ojos de un niño, viviendo las cosas por primera vez en su vida y transmitiéndole nuestra sorpresa, nuestra emoción y nuestra alegría. Es esencial que sepamos valorar el enorme esfuerzo que cada pequeño paso le exige y no menospreciar los avances por pequeños que éstos nos parezcan desde nuestra perspectiva adulta.

Debemos valorar actuaciones concretas. Al niño le tiene que quedar claro qué es exactamente lo que ha motivado nuestra alabanza. Exagerar o generalizar no le ayuda a conseguirlo. Si nuestro hijo ha consolado a un amigo la alabanza debe poner de relieve este comportamiento. «He visto que te has acercado a Manuel y le has dado un beso. Me ha gustado mucho» es mejor que un genérico «Eres muy bueno».

Cuanto más pequeño sea el niño más inmediata deber ser la alabanza porque le ayuda a saber

> *Al niño le tiene que quedar claro qué es exactamente lo que ha motivado nuestra alabanza*

Cómo abordar los pequeños y grandes conflictos cotidianos

exactamente la conducta valorada ya que, en el caso de los niños pequeños, el tiempo desdibuja enormemente la realidad. Con niños más mayores sí que será eficaz una reflexión a posteriori del tipo «¿Te acuerdas ayer, cuando después del colegio, dejaste tu muñeco a Sara? Pues me encantó que compartieras».

Animarles a mostrar a otras personas lo que saben hacer

Es otra manera de transmitirles nuestra valoración. El mensaje que enviamos es que nos parece tan importante lo que hacen que se lo contamos a los tíos, o a los abuelos..., y que para que éstos puedan comprobar que es verdad lo que decimos invitamos a nuestros hijos a volverlo a hacer. Esto les da la ocasión de valorar y practicar sus recién aprendidas destrezas: sea andar, decir hola, leer, tocar la flauta, andar en bicicleta, multiplicar, jugar a los Pokemon o cualquier otra actividad en la que tu hijo sea un experto.

Deberíamos ayudarles a encontrar todos los días cosas buenas en sí mismos, en los demás y en sus experiencias. Si les enseña-mos a tomar conciencia de los puntos positivos y a verbalizarlos estaremos apoyándoles en la idea esencial de la autoestima: tener una visión optimista del mundo.

Hay temporadas o situaciones que pondrán a prueba la confianza de los niños en el mundo y en su capacidad para hacer frente a sus dificultades: adaptaciones a colegios, situaciones de maltrato entre iguales, pérdidas de amigos, cambios de vivienda o dificultades en los estudios. Sabiendo eso es importante crear un *airbag* construido a partir del recuerdo de las experiencias positivas que han vivido y a partir de la toma de conciencia de sus avances. Una idea es poner de relieve sus logros y superaciones según éstos van ocurriendo. Otra idea es ir apuntando en un diario sus avances desde que son pequeños y compartirlos con ellos cuando han crecido, de modo que vean lo que iban consiguiendo en cada momento y todo lo que han aprendido desde entonces. Otra es ir grabando en vídeo su desarrollo, lo que les dará la oportunidad de comprobar cómo han ido cre-

Debemos ayudar a nuestros hijos a encontrar todos los días cosas buenas en sí mismos, en los demás y en sus experiencias

ciendo. O guardar sus dibujos, textos escritos, producciones plásticas u objetos significativos a modo de museo personal que les permita ser conscientes de su recorrido vital. En los tres casos la idea es la misma, ayudarles a valorar su enorme capacidad de aprendizaje durante los primeros años de su vida.

Tenerles en cuenta en las decisiones que les afectan y, en general, en la vida cotidiana

Llevarles con nosotros siempre que sea posible

En los últimos tiempos los niños se han ido alejando del lugar donde ocurre la vida. La especialización de los tiempos, la privatización creciente de los espacios en las ciudades, la creación de espacios de ocio alejados físicamente del resto de espacios está llevando a empobrecer la vivencia que, en muchas ocasiones, los niños tienen de la ciudad y de sus relaciones.

Deberíamos considerar que llevar a los niños con nosotros cuando vamos a hacer gestiones, comprar cosas o resolver los problemas de nuestra vida cotidiana, es una manera de enriquecer su experiencia y de mostrar respeto hacia su capacidad de interesarse por el mundo.

Escuchar lo que nos dicen mostrando respeto por sus preocupaciones y puntos de vista

Escucharles les hace ver que damos importancia a sus pensamientos y que les aceptamos como interlocutores. Lo más importante para conseguir esto es establecer suficientes momentos de escucha para que nuestros hijos puedan contar lo que han vivido y lo que les inquieta y estar dispuesto por nuestra parte a convertir cualquier momento en un momento de escucha.

No podemos esperar que nuestro hijo quiera contarnos algo en medio del juego con otros niños o cuando está inmerso en una actividad. En principio los momentos de la comida, de antes de dormir o cuando vamos en coche o en autobús son momentos donde la comunicación puede ser más fácil.

Establecer la comida como un momento de comunicación significa poner fin a la frecuente costumbre de que los niños coman viendo la televisión y sentarnos con ellos a comer. También puede ser necesario dar un modelo de esta conducta contándoles lo que nos ha ocurrido durante el día o lo que nos ocurrió hace tiempo cuando éramos pequeños. La hora de ir a dormir también proporciona un momento de tranquilidad para que un niño pueda contarnos algo que le ha pasado durante todo el día.

Con todo, es esencial estar dispuesto a escuchar a nuestro hijo en cualquier momento: hay pensamientos e ideas que no pueden esperar y si no las escuchamos en el momento que surgen se perderán.

No sólo es importante establecer momentos especiales que favorezcan la comunicación, también debemos adoptar una actitud de escucha evitando adoptar constantemente el papel de juez. Cuando nuestro hijo nos cuenta algo que no nos gusta debemos hacer un esfuerzo para no enjuiciar lo que nos dice interrumpiéndole. Nuestro interés fundamental es mantener abierto un canal de comunicación y de confianza. Entonces, en vez de hablar nosotros censurando el comportamiento, debemos conseguir que sea nuestro hijo quien amplíe la información o haga una valoración de lo que nos ha contado.

Tomarnos en serio a nuestro hijo pasa por tomar en serio sus

Qué nos parece...

Al año y medio Pablo mostraba claramente sus preferencias por una de las cintas de canciones infantiles que se ponían en la radio del coche. Cuando Lara tenía dos años y medio se despertaba la primera para vestirse y así evitar ponerse los vestidos que en aquel momento de su vida no le gustaban.

A Juan, por la noche, le gustaba desde los dos años seleccionar el cuento de irse a la cama.

Los niños, desde muy pequeños, muestran claramente preferencias por cosas y personas que les gustan; respetar y tener en cuenta esas preferencias les envía el mensaje de que les respetamos y les tomamos en serio.

Desde los primeros meses el niño debe percibir el mundo como un lugar en el que puede intervenir, un lugar en el que sus opiniones son tenidas en cuenta. Nuestra responsabilidad es proporcionarle un mundo que no esté totalmente cerrado y que le invite a participar.

Tomarnos en serio a nuestro hijo pasa por tomar en serio sus pequeños problemas, sus pequeñas preocupaciones y sus pequeños conflictos

pequeños problemas, sus pequeñas preocupaciones y sus pequeños conflictos. El miedo a un niño más mayor, a no mantener una amistad, a no hacer las cosas bien en el «cole» no pueden recibir por nuestra parte un comentario trivializador que le reste importancia. Si a un niño le preocupa algo y nos lo dice debemos acompañarle y darle recursos emocionales y sociales para hacerle frente.

Demostrar confianza en su habilidad y criterio dejándoles participar en las decisiones

Los espacios de decisión (y, por lo tanto, de responsabilidad) deben crecer según crecen los niños. Nuestro objetivo final es que los niños se conviertan en individuos capaces de tomar decisiones meditadas sobre lo que quieren y de buscar la mejor estrategia para conseguirlo. Para llegar a esto deberíamos intentar no tomar por los niños decisiones que éstos puedan tomar por sí mismos y, cuando sea posible, poner en práctica sus ideas o sugerencias.

Las decisiones sobre juegos, canciones, películas y cuentos serán el primer escalón en la decisión. Luego puede venir la elección de la ropa que ponerse los fines de semana, a qué dedicar el tiempo después del colegio, la cantidad exacta de comida que va a tomar, o qué plato prefiere para una noche especial.

En el tercer escalón de decisión vendría la manera de hacer las

Lo que deberíamos hacer

- Hacer saber a los niños que les queremos de forma incondicional, por el mero hecho de existir.
- Expresar nuestro afecto y nuestro amor clara y repetidamente.
- Evitar conductas agresivas.
- Ayudarle a poner en práctica su autonomía: incluir en la vida cotidiana un montón de pequeñas tareas que los niños pueden hacer por sí mismos.
- Darle la iniciativa en todo lo que podamos.
- Mostrar interés por las cosas que hace.
- Compartir intereses con el niño.
- Valorar adecuadamente sus pequeños logros.
- Asegurar que sea muy bueno al menos en una cosa que les guste, algo a prueba de fracasos.

Lo que no deberíamos hacer

- Enjuiciar constantemente las acciones del niño. Despreocuparnos de las consecuencias de sus acciones, justificándolas.
- Pegar o maltratar a los niños.
- Hacer por él lo que éste podría hacer por sí mismo.
- Enseñar a un niño lo que pueda aprender por sí mismo.
- Intentar que un niño aprenda algo antes de que pueda aprenderlo sin dificultad.
- Menospreciar los avances por considerarlos pequeños o esperables desde nuestra perspectiva adulta.
- Pensar que sus miedos, problemas o deseos no tienen importancia.

El niño no puede decidir qué decidir, esa responsabilidad nos corresponde a nosotros en función de su edad, su autonomía y su responsabilidad

cosas. Nosotros planteamos lo que hay que hacer pero son los niños los que deciden la manera de hacerlo. Un niño a partir de los cinco años puede elegir la actividad extraescolar que va a realizar después del «cole», puede elegir la ropa o el calzado que ponerse en función del tiempo que hace, o puede elegir en clase el orden concreto en el que va realizar el plan de trabajo previsto para la semana.

Claro está que el niño no puede decidir qué decidir, esa responsabilidad nos corresponde a nosotros en función de su edad, su autonomía y su responsabilidad.

Ideas relevantes

- *La autoestima es fundamental para el bienestar mental del niño.*
- *Existe una clara relación entre la autoestima infantil y las prácticas de paternidad.*
- *La autoestima es una habilidad básica que debemos desarrollar desde niños para hacer frente a los conflictos y a las dificultades de la vida.*
- *Debemos ayudar a nuestro hijo a verse como una persona competente capaz de superar nuevos retos.*
- *La autoestima está vinculada al desarrollo de la autonomía física, moral e intelectual.*
- *Los niños deben experimentar tres tipos de responsabilidad: ante la norma, ante el grupo social y ante sí mismos.*
- *Es fundamental ayudarles a valorar su enorme capacidad de aprendizaje durante los primeros años de su vida.*
- *Tomarnos en serio a nuestro hijo pasa por tomar en serio sus pequeños éxitos, sus pequeños problemas, sus pequeñas preocupaciones y sus pequeños conflictos.*
- *Los espacios de decisión (y, por lo tanto, de responsabilidad) deben crecer según crecen los niños.*

Cómo abordar los pequeños y grandes conflictos cotidianos

3.

Desarrollar la comunicación

Nos preguntamos...

- ¿Qué debemos hacer los padres y educadores para criar niños capaces de resolver sus conflictos a través del diálogo?
- ¿Por qué es tan importante para la comunicación el primer año de vida?
- ¿Cómo comunicarnos cuando el niño no domina el lenguaje oral?
- ¿Hablamos y hacemos suficiente caso a los niños y niñas?
- ¿Qué hacemos cuando tienen rabietas?

- _La importancia del ajuste en la comunicación en los primeros momentos de la vida._
- _Qué elementos deben darse en la relación con el niño para potenciar la comunicación._
- _Cómo mejorar las estrategias comunicativas del niño._
- _La importancia del lenguaje como instrumento para diferir la recompensa, anticipar las acciones, buscar alternativas y valorar actuaciones pasadas._
- _Las rabietas como un cortocircuito en la comunicación._

La capacidad de comunicarse adecuadamente es una habilidad que los niños deben dominar si pretendemos que negocien y busquen soluciones constructivas a los conflictos.

El punto clave es que confíen en la comunicación, que tengan la seguridad de que merece la pena hablar porque saben que van a ser escuchados y entendidos por el otro. Esto lo aprenden en los primeros meses de su vida, si son escuchados y atendidos por las personas que les cuidan.

El paso siguiente es ayudarles a utilizar el lenguaje oral para expresar sus necesidades y sus sentimientos sustituyendo progresivamente el llanto o las rabietas.

Por último, debemos conseguir que el lenguaje sea una herramienta útil para reflexionar sobre lo que han hecho y para negociar con otros, lo que a su vez conlleva la capacidad de ponerse en el lugar del otro, de escucharle activamente y de expresar nuestras ideas de una forma respetuosa.

El niño es capaz de entender lo que le decimos mucho antes de que pueda utilizar el lenguaje para hablar. Según Rondal[6] un niño puede producir la mitad de las palabras que comprende. Por eso es esencial hablar mucho al niño y

Debemos ayudar a nuestros hijos a utilizar el lenguaje oral para expresar sus necesidades y sus sentimientos sustituyendo progresivamente el llanto o las rabietas

contarle todo, porque no sabemos si efectivamente nos estará entendiendo.

Cuanto más utilicemos el lenguaje para describir lo que sucede, para explorar diferentes posibilidades y diferentes sentimientos, más fácil será que el niño lo utilice. Nuestros niños utilizarán el lenguaje que les hayamos proporcionado para lo que les hayamos enseñado.

Al año y medio una explicación puede inhibir una pequeña rabieta. Desde muy pronto el niño será capaz de usar el lenguaje como regulador de la conducta, sin necesidad de llorar ni rebelarse, si le hemos permitido experimentar un modelo de cómo hacerlo. A los tres años serán perfectamente capaces de negociar y proponer diferentes soluciones a un problema, de utilizar el lenguaje para reflexionar sobre el pasado y planificar el futuro... si les hemos enseñado a hacerlo dándoles oportunidades para la comunicación. Y si son capaces de hacerlo a los tres, cómo no van a conseguirlo a los diez.

La importancia del primer año en el establecimiento de estilos de comunicación

El primer año de vida es el momento en que se construyen las estructuras profundas de la personalidad

El primer año de vida es el momento más importante de la vida del niño, el momento en que se construyen las estructuras profundas de su personalidad. Hemos creado un ser que depende de nosotros totalmente y que necesita que todos nuestros sentidos estén a la escucha de sus necesidades y de su supervivencia: física y psicológica. Por eso exige nuestra presencia continua. Pero, también, hemos creado una voz en el mundo que exige nuestra respuesta continua, y, cuánto más pequeño sea el niño, más incondicional e inmediata será dicha respuesta.

Lo primero, lo imprescindible, lo fundamental es establecer un diálogo corporal y afectivo ajustado a las necesidades del niño: un cuerpo protesta y otro cuerpo alimenta, un cuerpo se cansa y otro

6. RONDAL, J.A. (1979): *Votre enfant apprend à porter*. Bruselas. Mardaga. Citado en MONFORT, M.; JUÁREZ, A. (1989): *El niño que habla*. Madrid. CEPE.

cuerpo le hace dormir, un cuerpo duele y otro cuerpo masajea, un cuerpo se ensucia y una mano limpia, unos ojos miran y una mano juega... y distrae y cosquillea provocando nuevas sensaciones.

Cuando ese diálogo corporal con los principales cuidadores es ajustado, el niño no sólo ve satisfechas sus necesidades vitales sino que está aprendiendo los principios básicos de la comunicación. Aprenderá que hay alguien dispuesto a escucharle, aprenderá a turnarse en el diálogo y, tras muchos diálogos exitosos, a esperar pacientemente la respuesta del otro, y, finalmente, a pasar del llanto al habla, porque sabe que el esfuerzo que exige una comunicación más precisa es una energía bien empleada...

En los primeros meses se establece el tono con el que un niño se comunica, en función de la interacción con los adultos que le cuidan. Puede ser el tono rítmico y confiado de quien está seguro de que su voz será oída (vínculo protector).

Puede ser un tono sobredimensionado, fruto de la experiencia de alguien que no ha sido oído y ha tenido que «gritar» para conseguir ser tenido en cuenta. Cuando decimos «gritar» nos referimos tanto a la utilización de rabietas como al soniquete llorón de quien necesita dar pena para recibir cuidado (a estos dos últimos se les llama vínculo ambivalente).

Puede ser un no-tono, es decir, cuando el niño no espera respuesta a sus peticiones (vínculo de evitación) o cuando respuestas contradictorias previas hacen imprevisible la respuesta del adulto.

Este tono, este vínculo se elabora a través de múltiples experiencias de ajuste en la comunicación entre el niño y su principal cuidador o cuidadora. Cecilia Pérez- Mínguez, psicóloga del Centro de Psicoterapia y Psicoanálisis en Madrid, plantea que para que exista un ajuste en las interacciones con el niño es imprescindible que se produzcan, al mismo tiempo, dos requisitos: un ajuste emocional basado en el mutuo acercamiento entre los individuos y un ajuste en la actividad mediante una coincidencia en un centro de interés para el cuidador y el bebé. Sólo cuando el niño se siente a gusto, tanto con la relación como con la actividad, se produce «una situación ideal para la comunicación y el aprendizaje de los significados compartidos».

Para conseguirlo la actitud del adulto debe caracterizarse por:

- Reconocer al niño la iniciativa dando acuse de recibo de una acción suya con otra que sigue a la del niño o que es procedente por el contexto.
- Expresar claramente de forma empática la conexión con el niño mediante un gran número de estímulos verbales, gestuales y corporales.
- Generar un turno en las intervenciones del niño y del adulto, dando lugar a un diálogo.

Estas tres características son el esquema que todo acto de buena comunicación debe tener, sea cual sea la edad del interlocutor que tenemos delante.

Primero, lo que podemos denominar escucha activa, si un niño habla debemos escucharle y mantener la conversación en el tema o interés que motiva el acto de comunicación, no en nosotros. La intervención de quien escucha debe ir dirigida a aclarar, ampliar o buscar razones del que habla o se comunica o se expresa.

Segundo, la presencia de una empatía corporal entre las dos personas que se muestra mediante la mirada a la cara del interlocutor, la muestra de cercanía física en momentos de mayor confianza, el acompañamiento facial explicitando interés, sorpresa u otros estados de ánimo provocados por lo que el emisor cuenta e, incluso, mediante una sincronización corporal que lleva a copiar posiciones de las manos o del cuerpo. En el caso de los niños, estas señales de conexión deben ser más claras todavía: mayor la cercanía física, mayor el contacto visual y corporal, mayor la expresión de afectividad.

Tercero, mantener lo que caracteriza a la comunicación: el diálogo. El mayor dominio del lenguaje por parte del adulto nos puede llevar a hablar lo nuestro y lo del niño (aunque sea por ayudarle a expresarse). Los niños necesitan tiempo para pensar y para convertir sus pensamientos en palabras.

Cuando el «tono» de la comunicación del niño no es el

Si un niño habla debemos escucharle y mantener la conversación en el tema o interés que motiva el acto de comunicación, no en nosotros

Una madre posponía sistemáticamente durante unos minutos el ama-
mantamiento de Eva, su bebé de seis meses, cuando ésta, hambrienta,
comenzaba a quejarse. La madre retrasaba su respuesta porque pensa-
ba que es bueno que los niños se acostumbren a esperar. Sólo cuando
Eva comenzaba a llorar desconsoladamente se atendía la demanda. Esta
interacción repetida acostumbró a la niña a llorar para pedir las cosas,
un comportamiento que mantuvo durante sus primeros años de vida.

Comentamos...

Unos de los principales riesgos del momento actual para que exista una
confianza en la comunicación por parte de un bebé es el cortocircuito
que supone considerar sus necesidades como caprichos, y como una
consecuencia la negativa a darle una respuesta inmediata, pensando en
que esto les hará más caprichosos. Es justo lo que pasa en el ejemplo.
Posponer la intervención obliga a Eva a «gritar» para conseguir satisfacer sus imperiosas necesidades. Cuando esto sucede de forma reiterada
un niño puede entender que tiene que demostrar que «de verdad» necesita algo, si pretende conseguirlo, para lo que sobredimensionará o dará
dramatismo a sus mensajes mediante la utilización bien de lloriqueos,
bien de rabietas, bien de una combinación de ambas estrategias.

Según Eva va creciendo, este dramatismo es valorado cada vez más
negativamente por su madre, por considerarlo inmaduro; pero como
Eva no ha aprendido otras estrategias más evolucionadas, lo único
que puede hacer es «gritar» más y más hasta que la situación es
tan agobiante que su madre (aunque sea recriminándola) no tiene
más remedio que intervenir cediendo ante la petición. Intervención
que refuerza la primitiva estrategia de Eva, que acaba consiguiendo lo que pretendía.

adecuado corremos serios riesgos, como veremos en el ejemplo siguiente.

Nos encontraremos con que pequeños conflictos dan lugar a escaladas repentinas cuya resolución acaba llevando muchísimo más tiempo de lo razonable. Si el niño y los padres no confían en el diálogo para resolver los conflictos, la comunicación deja de ser funcional y en vez de transmitir necesidades e ideas se convierte en un momento para la demostración de poder o para la búsqueda paradójica de atención y afecto. Los conflictos tienen todos los elementos para crecer, en número y en intensidad, conduciéndonos a una espiral de desencuentros y a un estilo conflictivo a la hora de relacionarnos con nuestros hijos.

Sólo cuando un niño percibe la incondicionalidad de la respuesta adulta y ha construido los cimientos afectivos de la comunicación, podemos esperar que el lenguaje verbal vaya entrando progresivamente en acción sustituyendo al llanto del bebé.

Especial atención, por sus posibles repercusiones sobre el núcleo de la comunicación, nos debe merecer la extendida aplicación del método propuesto por el doctor Estivill para que los niños pequeños se duerman solos. No sólo ha convertido el sueño de los niños en un problema generalizado para los padres sino que al excluir del abanico de respuestas posibles la cercanía física, las nanas y los balanceos, pone en cuestión uno de los momentos de ajuste afectivo que nuestra especie ha usado por milenios; al justificar que los padres no atiendan desde los primeros meses de vida al «chantaje» que supondría el llanto infantil corremos el riesgo de contribuir a la generación de vínculos ambivalentes o evitativos. Además, ante la lógica aplastante con la que el método se presenta y los males que provocaría no seguirlo, se crea un sentimiento de culpabilidad entre los numerosos padres que no son capaces de aplicarlo sin que estos «fracasos individuales» se conviertan en un cuestionamiento social.

Pero no en todos los sitios es así, en EE.UU. existe la versión americana del método Estivill y allí se ha cuestionado y modificado.

En 1986, Richard Ferber, director del Centro para los Trastornos del Sueño en el Hospital Infantil de Boston, publicó el libro *Solve your child's sleep problems* (*Solucione los problemas de sueño de su hijo*, 1993). Muy pronto se planteó el debate sobre si era conveniente «ferberizar» (permitir que un bebé llore durante periodos cada vez más largos de tiempo antes de consolarle hasta que se quede dormido por su cuenta). Hoy Richard Ferber ha relativizado sus planteamientos y admite que su método «no es la solución para todos los niños ni para todos los problemas de sueño». Ferber afirma que a un niño que está acostumbrado a ser acunado antes de dormir nunca se le debería dejar de acunar repentinamente sino reducir gradualmente el tiempo de acunarle y luego reducir gradualmente el tiempo de permanencia del adulto en la habitación. También matiza sus duras opiniones sobre que los niños duerman en la cama de los padres y reconoce que si los padres se sienten bien y si todos duermen bien, ¡adelante! No está mal que con veinte años de

En la creación de hábitos para el sueño, debemos partir de las características de cada niño y de las situaciones contextuales

retraso se reconozca la importancia de la individualización y de un enfoque gradual en la creación de hábitos para el sueño.

Ante el paralelismo entre los métodos Ferber y Estivill, ¿cuándo oiremos decir esto en nuestro país y evitarnos que el momento del sueño se convierta en una situación generadora de vínculos afectivos inadecuados?

Los momentos clave para establecer la comunicación

Existen tres tipos de interacción cotidiana entre el principal cuidador y el bebé donde se juega la elaboración de una comunicación ajustada: las rutinas de crianza, las rutinas de dar-tomar y las de aproximación-emoción.

- En las *rutinas de crianza* el objetivo es el bienestar del niño y la actividad se centra en los cuidados cotidianos: alimentar, limpiar, consolar, favorecer el descanso o proporcionar cuidado físico. Las rutinas de crianza no son actividades ajustadas por sí mismas sino que es necesario que el adulto asegure el ajuste emocional. En función de nuestra

Cómo abordar los pequeños y grandes conflictos cotidianos

actitud podemos convertir el momento de alimentar al niño, de cambiarle de pañales, o de dormirle en momentos de ajuste... o de desajuste.

- En las *rutinas de dar-tomar* el objetivo es establecer un diálogo entre el adulto y el niño y la actividad se centra en intercambios alternos. Intercambios de miradas y sonrisas, intercambios verbales donde interpretar los balbuceos del niño como respuesta, masajes que implican un diálogo corporal o, un poco más adelante, intercambios de objetos y juguetes. También ocupan un lugar importante muchas rimas, cancioncillas y juegos tradicionales que dan al niño la posibilidad de tomar su turno en la respuesta, como cuando cantas «Debajo un...» y te paras para permitir que el niño diga «botón» o algún sonido que se le parezca.

- En las rutinas de *aproximación-emoción* el objetivo es descubrir lo desconocido; existe una situación de aparición-desaparición, de emoción-sorpresa. Los juegos son cortos y repetitivos con una secuencia claramente definida que proporciona al niño la sensación de controlar un proceso y le permite esperar una sorpresa final pre-

---

- *Una abuela juega con Daniel, su nieto de año y medio. Le tiene sentado en el regazo mirando ambos en la misma dirección, de manera que la abuela no puede ver la expresión del niño. Le va cantando a un ritmo rápido una canción infantil y luego otra y luego otra, moviéndole mecánicamente los brazos.*

- *A Manuel le acostumbraron a tomar el biberón del revés: es decir con él sentado en el regazo mirando madre e hijo en la misma dirección, posteriormente, cuando se hizo mayor era normal verle corretear a la hora de la comida mientras su madre le perseguía cuchara en mano.*

---

visible. Como ejemplos conocidos tenemos juegos como el «Cucu-tas» o «Cuando vayas a la carnicería».

Estas rutinas van evolucionando y ganando complejidad en la comunicación, según el niño va creciendo. Cuidado, reciprocidad y

Comentamos...

Ambas situaciones nos muestran que el ajuste en la comunicación no se produce de forma automática en el momento de las rutinas educativas. En nuestras manos está convertirlas en momento de ajuste. En el primer caso lo que primaba era la actividad de la abuela, pues a veces nos sentimos obligados a demostrar que se nos dan bien los niños y que les sabemos entretener. La abuela de Daniel está centrada en sí, no en el niño. No establece ningún contacto visual, no le escucha, no le da tiempo a intervenir, no le da tiempo de aprender ninguna canción y el ritmo rápido de la situación excede la capacidad de atención del niño. No hay escucha, no hay empatía, no hay diálogo. ¿Qué sería lo adecuado? Establecer un contacto afectivo, dar tiempo a que el niño interactúe y participe de alguna manera en el juego (bien emitiendo partes de la canción, bien haciendo autónomamente los gestos); a esto ayudaría repetir la canción más de una vez.

En el segundo caso, una situación que podría estar cargada de afectividad, de posibilidades de contacto visual y verbal, aprovechando el ritmo de la ingesta, se convierte en una situación estrictamente fisiológica. Un simple hecho, como ponerle en una determinada posición, le impide establecer un contacto visual y físico con nuestra cara. Si un niño está en nuestros brazos para comer, además de alimento deberíamos darle miradas de amor, palabras y afecto. No es extraño que posteriormente el niño corretee mientras come. El momento de la comida debería convertirse en un momento mágico de la comunicación familiar, algo que no podemos desperdiciar.

Cómo abordar los pequeños y grandes conflictos cotidianos

sorpresa son componentes que nunca deberían faltar en la relación con nuestro hijo.

Elementos clave que toda situación comunicativa debe respetar

Para que el lenguaje verbal llegue a tener un papel importante a la hora de expresar las necesidades, regular la conducta y resolver los conflictos de nuestros hijos, se necesita una adecuada intervención del adulto que, como acabamos de ver, se basa en:

• Respetar su iniciativa.
• Conectar con el niño.
• Generar un diálogo.

¿Cómo podemos intervenir los adultos? A continuación se apuntan estrategias que se deben considerar.

¿Qué hacemos para respetar la iniciativa del niño?

Estrategias: observar lo que hacen, escuchar lo que dicen y saber esperar.

1. Observar, fijarnos en lo que hace el niño, valorarlo y tenerlo en cuenta es nuestra primera estrategia porque nos proporciona el lugar de partida para una intervención óptima. Cada niño es único, sus intereses y su forma de aprender también. Debemos aprender a mirar lo que hace y, más importante, que hay detrás de lo que hace. ¿Qué interés? ¿Qué reto? ¿Qué exploración? ¿Qué aprendizaje? En los dos primeros años de vida las acciones de los niños son la única manera de acceder a su pensamiento. Nuestra capacidad de observación aumentará si utilizamos fotografías, el vídeo o un diario. Cualquiera de estos instrumentos nos permite ganar en profundidad y llegar a una mayor comprensión del proceso de aprendizaje en el que está embarcado un niño.

2. Escuchar lo que dice el niño le muestra que el lenguaje es una buena manera de llamar la atención de otras personas y que lo que dice (por pequeño que sea) se valora como algo muy importante. Cuando el adulto se esfuerza por entender las expresiones incompletas o simplificadas del

Cómo abordar los pequeños y grandes conflictos cotidianos

niño le transmite la importancia que se da a la conquista de ese instrumento fundamental para nuestra especie.

3. Saber esperar significa evitar actuar en lugar del niño y darle tiempo para que responda, actúe, explore y haga las cosas por sí mismo, permitiéndole que adopte un papel activo a la hora del conocimiento. Los niños necesitan tiempo para pensar, para hacer y para hablar. Mucho más tiempo del que como adultos estamos acostumbrados a esperar. Ante un objeto desconocido, ante una situación nueva o ante una pequeña tarea es esencial permitir al niño que ponga en práctica las ideas que le sugiere esa nueva experiencia, sin que nosotros actuemos por él o nos adelantemos a los acontecimientos. También debemos acostumbrarnos a esperar su lenguaje. Cuando un niño dice sus primeras palabras debemos darle tiempo para que las encuentre y no decirlas por él. Cuando hilvana sus primeras frases debemos esperar a que las construya y no acabarlas por él. Cuando con su lenguaje el niño intenta comprender el mundo,

debemos darle tiempo para que estructure su propio lenguaje y su pensamiento.

¿Qué hacemos para conectar con el niño?

Estrategias: ponernos a su nivel, imitar y comentar.

1. Ponernos a su nivel consiste en ponernos físicamente a su nivel, a su altura y en su campo visual. Cuando juguemos, cuando hablemos o cuando le demos de comer. Interactuar cara a cara nos permite fijarnos en las acciones y en los sentimientos del niño, permite al niño fijarse en nosotros y crea un sentimiento de intimidad y de compartir.

2. Imitar lo que un niño hace le proporciona el mensaje inequívoco de que somos conscientes de sus acciones o sonidos, de que nos interesa lo que hace o dice y nos permite unirnos en su foco de interés o en su objetivo creando una situación de ajuste. Además le enseña a imitar, introduciendo una de las estrategias claves para el aprendizaje.

3. Comentar lo que está sucediendo nos permite dar importancia a los pequeños hechos y

Cómo abordar los pequeños y grandes conflictos cotidianos

conocimientos cotidianos, valorar los éxitos y descubrimientos. Además, supone una buena oportunidad para iniciar una conversación con el niño ya que parte de una realidad presente que acaba de vivir.

¿Qué hacemos para generar un diálogo?

Estrategias: dar al niño la oportunidad de intervenir y hacer buenas preguntas.

1. Dar al niño la oportunidad de intervenir. Las madres y los padres de los niños que hablan más esperan de ellos una mayor participación y les animan a verbalizar de varias maneras: haciéndoles preguntas y dando tiempo para contestar, dándoles pistas para que los niños encuentren la respuesta (por ejemplo, diciendo el principio de la palabra), imitando sus balbuceos y aceptándolos como respuesta correcta para posteriormente traducirlos (por ejemplo, si el niño dice «ero» señalando al cielo, contestarán «Eso es, el cielo, muy bien»).

Cuando damos al niño la oportunidad de intervenir le

estamos dando la oportunidad de participar activamente, lo que es fundamental para el aprendizaje. Sólo cuando un niño sabe hacer las cosas por sí mismo realmente las sabe. Dar turnos es algo a tener en mente, hagamos lo que hagamos. Si cantamos podemos pararnos antes del final para que sea él quien acabe, si le bañamos podemos pedirle que quite el tapón o alguna otra acción importante para el momento del baño. Dar turnos supone, en definitiva, darle participación en la vida.

2. Hacer buenas preguntas es la manera de dar cuerda a la conversación, de mostrar interés por lo que el niño hace y de ponerle en una situación motivadora a la hora de utilizar el lenguaje. Funcionan mejor los cómo que los porqués ya que los primeros ayudan a estructurar las acciones, describir lo realizado y ampliar la información, mientras que los porqués exploran motivaciones, lo que es algo más complicado.

Hacer buenas preguntas es la manera de dar cuerda a la conversación

Enriquecer la comunicación explorando los diferentes tipos de lenguaje

El dominio del lenguaje es un proceso complicado para el que los niños parecen estar especialmente preparados. Frente a la idea de que el lenguaje evoluciona de forma automática se ha demostrado la importancia de la interacción con los adultos. Cuánto más hablamos a los niños, más hablan éstos. Y muy importante, cuanto más hablan los niños, más les hablan sus madres y sus padres. Esto explica la idea generalizada (pero falsa) de que las niñas comienzan a hablar antes que los niños. La realidad es que a quien más se le potencia el lenguaje (sea niño o niña) antes lo dominará. Como en tantas otras cosas la creencia de que algo sucederá es lo que nos hace actuar y provocar que suceda.

A lo largo de toda nuestra vida, desde que nacemos, utilizamos el lenguaje con muy diversos objetivos. Para conseguir un buen desarrollo de la comunicación debemos asegurarnos de que los niños abarquen todos estos objetivos y aprovechar las situaciones cotidianas para que el niño experimente diferentes funciones del lenguaje verbal:

- Acompañar las necesidades.
- Explorar el mundo.
- Crear focos de atención compartidos.
- Adentrarse en el pasado y en el futuro.
- Hablar sobre los sentimientos y los conflictos.

Acabaremos con el lenguaje que nos permite sondear nuestros estados interiores y conciliar los deseos de dos personas.

En cada uno de los ámbitos comenzaremos viendo cómo favorecer la comunicación desde los primeros momentos de la vida de una persona, pero las propuestas aquí planteadas son útiles para utilizarlas con personas de cualquier edad, viniendo a ser reglas de oro de la comunicación.

El lenguaje verbal para acompañar las necesidades

El lenguaje verbal funciona primero como un bálsamo mágico, el ritmo y el tono de la voz que le han acompañado desde los siete meses de gestación es una fuente de seguridad para el bebé. Al contrario de lo que muchas veces pensamos, los bebés no necesitan silencio sino un entorno construido por los murmullos de las voces que conoce y que desde muy pronto aprende a identificar. El lenguaje verbal debe estar presente constantemente, acompañando la satisfacción de las necesidades y la vivencia de las experiencias del niño.

El «habla» materna proporciona a los niños una señal verbal mejorada al disminuir la velocidad y exagerar la articulación de modo que ellos puedan aprovechar mejor dicha señal, lo que parece acelerar el proceso de

> *Los bebés no necesitan silencio sino un entorno construido por los murmullos de las voces que conoce y que desde muy pronto aprende a identificar*

Qué nos parece...

El niño llora y cuando le dan el pecho una voz dice: «¿Tienes hambre, mi cosa bonita, mi chiquitííííín?».
Cuando le cambias los pañales: «¿Y aquí que hay? Una cacota. Ahora mismo la quitamos para que mi niño esté contento..., el agua calentita..., la esponjita... Ay qué limpito (besos) y qué guapo. Guapo, guapo, guapo».

Comentamos...

Para llamar su atención y mantener su interés utilizaremos el lenguaje universal que todas las culturas han empleado para relacionarse con los bebés: el «habla materna», que se caracteriza por una entonación aguda y contrastada, un fuerte componente rítmico y melodioso, la utilización de frases más cortas, el alargamiento de las vocales, la repetición de sonidos, palabras o frases y la consecución de una atención mayor mediante el acercamiento de la cara del adulto a la del niño.

conectar las palabras con los objetos que éstas describen.

Además, es básica la interpretación de pequeños gestos del bebé como respuestas a la interacción dirigida por el adulto, enseñando claramente la característica dialogada del lenguaje humano. Muy pronto surge en el niño el deseo de participar en el intercambio verbal modulando sus gorgoritos y chillidos a la manera en que sus cuidadores se dirigen a él. Niños de sólo tres meses tienen la capacidad de establecer un contacto verbal dialogado con momentos de emisión y momentos de escucha.

Las nanas son otro ejemplo universal de adaptación de la comunicación a las características del «habla materna» con el fin claro de satisfacer las necesidades infantiles. El ritmo y la rima, el componente melódico y la repetición de un esquema verbal centran la atención del niño, en este caso para ayudarle a relajarse y a dormirse.

El lenguaje verbal como exploración del mundo

Los adultos debemos funcionar como una voz en *off*, como una banda sonora de todo lo que ocurre, describiendo situaciones y dando nombre a los objetos o acciones que provocan el interés del niño. Muy pronto el niño comenzará a actuar tomando la iniciativa y comenzará a señalar los objetos para pedirnos que le enseñemos las palabras que nombran al mundo. Este primer acto de señalar es tan importante que cuando no aparece nos podemos estar enfrentando a niños con trastornos graves de la comunicación. Cuando el niño comienza a señalar, nuestra acción deberá subordinarse a la suya.

Como adultos utilizaremos las siguientes estrategias para favorecer el dominio del lenguaje.
- Proporcionar experiencias.
- Utilizar diferentes recursos expresivos.
- Ponerle palabras a las acciones.
- Repetir las palabras clave.
- Interpretar.
- Añadir nuevas ideas.

Proporcionar experiencias

No hay que olvidar que el lenguaje debe colgar de las experiencias y no al revés, así que es esencial que los niños tengan experiencias

Cómo abordar los pequeños y grandes conflictos cotidianos

vitales interesantes y variadas (visitar el mercado o tener un caracol en casa subiendo por la pared de la cocina son experiencias, ver un vídeo de *Baby Einstein* o de los *Teletubbies* no lo son, los bits de «inteligencia» tampoco).

La experiencia vital permite interacciones múltiples con la realidad que engloban a todos los sentidos. Vas con tu hijo al mercado y el dependiente de la tienda de embutidos saluda al niño y le da un poco de jamón. En la frutería el niño toca las manzanas y pasea su mirada de color en color, de forma en forma. El olor de la panadería le invade mientras saborea un rico colín. Las chispas del afilador de cuchillos atraen su mirada. En casa pones el caracol sobre una hoja de lechuga que comienza a devorar, al rato el caracol ha desaparecido y está en lo alto de la pared.

Cada situación u objeto interesante que le proporcionamos al niño es una ventana que le abrimos para que interactúe con el mundo, para que se fije en él y una oportunidad maravillosa para colgar palabras de ella, palabras con sentido, palabras imprescindibles. El niño se fija en un gato y tú añades «gato». Debemos asegurarnos de que las palabras «caen» sobre un concepto o realidad que el niño conoce vivencialmente.

Utilizar diferentes recursos expresivos

Utilizar diferentes recursos expresivos permite apoyar con gestos u onomatopeyas las palabras que se utilizan ayudando a conectarlas con la realidad que representan. Pasarán muchos años para que el lenguaje pueda sustituir totalmente a la realidad, y más años todavía para que pueda sustituir a las ideas abstractas. Durante mucho tiempo el lenguaje necesita del apoyo cercano de la realidad o de otros tipos de representaciones.

Es muy difícil que un niño de tres años siga un cuento sólo hablado, las cosas cambian si tiene el apoyo de un álbum ilustrado o si es el adulto el que, al contarlo, subraya y refuerza el relato con sus gestos y onomatopeyas. Incluso cuando el

Cada situación u objeto interesante que le proporcionamos al niño es una ventana que le abrimos para que interactúe con el mundo

niño crece necesitará representaciones gráficas y claves visuales para clarificar información compleja.

Ponerle palabras a las acciones

Ponerle palabras a las acciones que protagoniza el niño permite la aparición de un diálogo. Tu hija está columpiándose y le preguntas «¿Más?». Y ella dice «¡Sí!». Tu hijo está acabando de bañarse y tú le preguntas «¿Quieres quitar el tapón?». Y lo quita.

Repetir las palabras clave

Repetir atrae la atención del niño sobre las palabras y ayuda a que las comprenda y las recuerde. Vas al parque y el niño señala las palomas y tú dices «Mira las palomas», al ratito el niño anda hacia ellas «Corre, corre a por las palomas». Echan a volar «Las palomas se fueron volando». Y cuando vuelven a posarse «Vamos a dar de comer a las palomas».

Repetir no sólo ayuda al niño a memorizar palabras sino también estructuras gramaticales o estructuras narrativas, como es el caso de los cuentos y las canciones.

Interpretar y devolver lo que se ha entendido permite a quien escucha asegurarse de que ha comprendido lo que su interlocutor intentaba decirle

Interpretar

Interpretar implica comprender lo que nos quiere decir el niño, y devolver como respuesta lo que ha dicho el niño con dos correcciones: traducir el mensaje a las palabras pronunciadas correctamente (corrección fonética) y utilizar una frase bien construida (estructuración sintáctica). Un padre va con su hijo por la calle y ante un «Aaa-ío» responde «Hace frío, sí, hoy hace mucho frío». O ante un «Aba» responds «¿Quieres agua? Toma, aquí tienes un vaso de agua». Interpretar ayuda a que nuestro hijo se comunique porque le estamos mandando el mensaje de que intentamos entender lo que dice y le ayuda a hablar correctamente porque le proporciona un modelo de lenguaje que, poco a poco, hará suyo.

Pero lo más importante es que interpretar y devolver lo que se ha entendido es una estrategia fundamental de la escucha activa que permite a quien escucha asegurarse de que ha comprendido lo que su interlocutor intentaba decirle.

Cómo abordar los pequeños y grandes conflictos cotidianos

Añadir nuevas ideas

Añadir nuevas palabras supone partir de un concepto que el niño expresa y aportar palabras o conceptos relacionados con lo dicho por el niño, extendiendo la comprensión sobre un determinado objeto o situación. Por ejemplo, el niño dice «coche» y tú respondes introduciendo características («Es muy grande»), detallando partes («Tiene ruedas») o señalando acciones («Va muy deprisa»). Partir de lo que el niño sabe y le interesa, hace significativo el aprendizaje.

¿Qué es lo que no debemos hacer si queremos desarrollar el lenguaje?

- Ser poco específicos utilizando palabras genéricas o pronombres («esto», «aquello»).
- Infantilizar la comunicación subestimando el potencial del niño para la expresión y la comprensión.
- Desaprovechar experiencias interesantes.
- Evaluar continuamente al niño.
- Centrarse en la corrección del lenguaje en vez de en el mensaje que el niño produce.

El lenguaje verbal como creador de focos de atención compartidos

Juegos, canciones y cuentos han sido en todas las culturas, generación tras generación, las principales lecciones con que los niños se han encontrado, tanto para el desarrollo motor, socioemocional y verbal.

Como veíamos antes, las rutinas de dar-tomar, así como las de aproximación, son dos de las tres maneras en que los adultos ajustamos nuestra acción con los niños pequeños y los juegos tradicionales están diseñados para asegurar ese ajuste.

Los juegos tradicionales incluyen gran parte de las características que favorecen el desarrollo del lenguaje: presencia de un fuerte componente rítmico, lenguaje como banda sonora de las acciones del juego, estructura dialogada, estructuras sintácticas repetitivas favorecedoras de la memorización, pequeñas historias cercanas a las vivencias e intereses de los niños. Además, cada juego tiene su nivel y su momento, desarrollando diferentes capacidades del niño.

Los juegos tradicionales favorecen el desarrollo del lenguaje

- Juegos destinados a captar la atención visual y auditiva del niño como «Cinco lobitos».
- Juegos donde el adulto acaricia o masajea diferentes partes del cuerpo del niño mientras le habla lenta y cálidamente, creando un fuerte momento emocional y ayudando al niño a tomar conciencia de las partes del cuerpo (por ejemplo, «Miso gatito»).
- Juegos centrados en la sorpresa y que permiten al niño intercambiar el papel director en el juego aprovechando su inicial capacidad de imitación (desde «Cucu-tras» a «Cuando vayas a la carnicería»).
- Juegos donde el intercambio implica el cuerpo en movimiento del niño, favoreciendo la coordinación global (por ejemplo, «Al trote», «Aserrín, aserrán»).
- Juegos que exigen una coordinación del movimiento con otras personas (como el «Corro de la patata»).
- Juegos que exigen una coordinación psicomotriz más compleja (juegos de palmas como «Maiselforyuti»).

La forma de utilización es sencilla, el adulto lo muestra y está atento a la respuesta que provoca. Si el juego cae dentro del momento evolutivo del niño y le interesa, éste lo pedirá mostrando claramente su agrado, en caso contrario, se guarda el juego para más adelante.

También es importante jugar con los bebés utilizando los objetos que les rodean y atraen su atención, ajustando nuestra intervención a sus acciones (recuerda primero, acepta la iniciativa del niño; segundo, conecta con el niño; y tercero, genera un diálogo). Para ello nos debemos fijar en el tipo de actividad que le atrae y convertirla en un momento de interacción donde las acciones del niño y las nuestras se copian y entrelazan y donde el lenguaje va dando nombre a objetos y acciones. Cuando este primer juego pierde interés podemos probar a sugerir una variación de la actividad y, si ésta provoca el interés del niño, establecer otro foco de actividad.

Cantar canciones es otra actividad favorita para los niños. Las canciones infantiles también recogen ciertas características que favorecen el desarrollo del lenguaje: la melodía, el ritmo y la estructura rimada facilitan la memorización. La condensación de una historia sencilla en tres o cuatro estrofas da un apoyo lógico a la memoria y permite anticipar lo que va a ocurrir después. La utilización de argumentos cercanos a los intereses infantiles aumenta el interés de los niños. También las canciones van ofreciendo diferente complejidad, tanto desde el punto de vista musical como lingüístico. Canciones con estructuras repetitivas (como «Los esqueletos»), acumulativas (como «A mi burro») y aquellas que se dirigen claramente a jugar con el lenguaje limitando las vocales que se pueden pronunciar o sustituyendo progresivamente palabras con gestos y sonidos (como «Tengo una hormiguita» o «Mi barba tiene tres pelos»). Cantar juntos es una buena actividad para hacer juntos desde el primer año de vida.

Los cuentos, sean contados o leídos, son otro momento esencial para el desarrollo del lenguaje. Sabemos que los niños que menos dificultades tienen para el aprendizaje de la lectoescritura y para un buen dominio de la comprensión lectora son aquellos a los que más cuentos se les ha contado. Crecer en un ambiente donde se valora el contar y leer proporciona al niño un modelo a imitar, le ayuda a desarrollar la capacidad de escucha y le pone en contacto con las principales convenciones de la literatura, sea oral o escrita.

Las canciones infantiles recogen características que favorecen el desarrollo del lenguaje

El lenguaje verbal para adentrarse en el pasado y en el futuro

Buena parte del lenguaje que utilizamos con los niños se centra en el presente, lo que hace, lo que ve o, en muchas ocasiones, lo que no tiene que hacer. Pero el lenguaje permite recordar el pasado valorándolo, y anticipar el futuro previéndolo. En uno y otro caso el lenguaje nos ayuda a distanciarnos de la acción y sustituirla por la palabra, esto es, a pensar. No debemos olvidar que el objetivo final que buscamos es que los niños puedan analizar su comportamiento y calcular las consecuencias de diferentes acciones.

Explorar el pasado

Adentrarse en el pasado les permite explorar verbalmente lo que han vivido directamente, introduciendo un lenguaje y unas categorías que les servirán de modelo para analizar situaciones más complejas: aquellas con una fuerte implicación afectiva o aquellas de las que no han sido protagonistas y de las que tienen que deducir mucha información y motivaciones.

Cuando exploramos el pasado hay dos momentos:

- El recuerdo.
- El análisis y la valoración.

Recordar tiene su complejidad. El tiempo del niño no funciona como el del adulto, sus referencias son más afectivas que cronológicas. El ayer es mucho más difícil que el antes, así que debemos aprovechar el momento de la cena o el atardecer para recordar con él los sucesos del día. Para extender la memoria será clave apoyarnos en objetos e imágenes: álbumes de fotos, fotos de situaciones y personas importantes colgadas en la habitación del niño, montajes de vídeo u objetos reales recogidos en un paseo o unas vacaciones. La idea es tener un apoyo que ayude al niño a traer el pasado al presente.

Nuestros niños deberían disfrutar de las posibilidades que la tecnología omnipresente proporciona; antes de ser expuestos a la avalancha Disney, deberían acercarse al lenguaje de la imagen siendo ellos los protagonistas de esas imágenes. No todos tenemos en nuestras casas un ordenador y una cámara de vídeo, pero es muy probable que una tía o un amigo sí que los tenga. Las cámaras digitales han multiplicado el número de fotos que podemos hacer y ver, nos permiten hacer fácilmente un montaje de diapositivas con una música de fondo que sustituye perfectamente a una película. En último caso, los tradicionales álbumes de fotos serán un buen acceso al pasado para los niños.

Al principio, los «viajes» al pasado deberán ser muy inmediatos:

- Algo especial que pasó a lo largo del día.
- Lo que le dijo alguien que se encontró.

El tiempo del niño no funciona como el del adulto, sus referencias son más afectivas que cronológicas

Cómo abordar los pequeños y grandes conflictos cotidianos

- Alguien que vino a vernos.
- Un juego con el que se divirtió.
- Algo que le puso triste.

Posteriormente el niño podrá encadenar con el «y después» diversos recuerdos sucedidos en un mismo día. Necesitará nuestra ayuda, por eso es imprescindible que estos recuerdos se centren en vivencias compartidas, porque si le preguntamos qué hizo en su escuela o en el colegio nos encontraremos con respuestas como «jugar», sin que tengamos ninguna pista para apoyar su recuerdo. Apoyaremos esta estrategia dirigiendo el proceso como si fuéramos apuntadores del teatro, dando las entradillas, el comienzo de las palabras o pistas que ayuden a recordar lo que pasó.

El análisis nos permite profundizar en un recuerdo explorando los detalles. Se trata de recordar lo que sucedió pero también de buscar las motivaciones y los sentimientos vinculados a las situaciones, así como las causas y las consecuencias de las acciones.

Comenzaremos dándole un modelo, analizando situaciones «problemáticas» que nos han sucedido a nosotros ahora (lo que hicimos cuando pinchó el coche, cuando nos quedamos sin pan, el día que no encontramos las llaves) o cuando éramos pequeños. También podemos analizar situaciones protagonizadas por el niño o situaciones que el niño ha presenciado en el parque o en la calle. También podemos inventarnos cuentos donde de forma simplificada se analicen situaciones.

Por un lado, le enseñamos que reflexionar sobre lo ocurrido es algo importante, por otro, le ayudamos a fijarse en los diferentes componentes de una situación: los sentimientos de las personas, lo que hacen para resolver los problemas y la «chicha» de los problemas:
- Qué paso primero.
- Qué paso después.
- Qué hizo cada uno.
- Por qué lo hicieron.
- Cómo se sintieron.
- Cómo acabó todo.

Muy pronto podremos analizar con nuestros hijos haciendo las preguntas. El paso final, «evaluar», añade una pregunta: ¿Estuvo bien lo que hizo? ¿Lo podía haber hecho de otra manera? ¿Qué fue lo mejor?

Anticipar el futuro

Cuando utilizamos el lenguaje para anticipar el futuro debemos retomar lo que decíamos del lenguaje como voz en *off* de la experiencia. Primero acompaña una intervención inmediata. «¡Ya voy, mi niño.» La certeza de que sus necesidades son atendidas ayudará al niño a diferir posteriormente dicha satisfacción, a confiar en el futuro y a fiarse de tu palabra.

En un segundo momento, tras muchas intervenciones exitosas un día el lenguaje aparecerá como una sustitución de la experiencia «Espera un momento, ahora voy», posponiendo unos momentos la respuesta y ese «ahora» será esperado por nuestro hijo con confianza. «Ahora no, pero luego sí». «Hoy no, pero mañana sí». «En este momento no, pero cuando crezcas sí». Una entrada temprana de la anticipación mediante el lenguaje hablado es fundamental para hacer frente a las

frustraciones y a los conflictos que en su mayoría se limitan a problemas de cuándo y cuánto: un niño quiere quedarse un poco más jugando en el parque, o comer un poco menos de algo.

Finalmente, el lenguaje nos permite hacernos a la idea de lo que va a ocurrir en un futuro próximo. Saber lo que va a pasar da a los niños seguridad, les permite prepararse para los cambios y hacerse a la idea de que algo bueno tiene que acabar. «Después de comer dormirás la siesta». «Dentro de un rato nos vamos a ir, así que tendrás que dejar de jugar y ponerte a recoger».

Anticipar también activa el deseo y, como sabemos, el deseo es la base para el crecimiento. Actualmente muchos niños tienen muchas cosas antes de tiempo; al no haber deseo, no hay satisfacción cuando se consiguen las cosas y, por lo tanto, no hay maduración. Los niños deben tener la posibilidad de desear, de vivir la tensión de la espera y, posteriormente, la satisfacción del deseo. Deben tener la posibilidad de recibir una promesa y ver que se cumple.

Podemos anticipar las cosas especiales que vamos a hacer el fin de semana, en las vacaciones, los días que quedan para el cumpleaños, para la llegada de Papá Noel o los Reyes Magos. Anticipar y ver que las cosas se cumplen convierte la espera en esperanza.

También en este punto nuestra mirada adulta no coincide con la del niño. El niño está viviendo la mayor parte de lo que hace como una experiencia nueva. Incluso cuando no sea la primera vez que hace algo en su vida, sí será la primera vez que lo hace con seis, ocho o diez años, lo que da perspectivas totalmente diferentes. Para que los adultos acompañemos este proceso debemos recuperar para nosotros mismos el lenguaje de la sorpresa, anunciar lo que va a venir poniendo de relieve lo emocionante que será, preguntarnos en voz alta lo que sucederá, emocionarnos nosotros mismos con su vivencia.

Otra manera de hablar del futuro es planificar sus acciones. Planificar da al niño el control sobre lo que va a hacer, le permite hacer un proyecto y llevarlo a cabo, tener en cuenta lo que necesita y los pasos que va a dar para conseguirlo, le permite pensar en diferentes formas de superar las dificultades. Los adultos podemos favorecer esta capacidad proporcionando problemas o situaciones donde el objetivo está definido, pero no la manera de alcanzarlo, de modo que los niños utilicen el razonamiento y el análisis para diseñar un plan y llegar a la solución.

O, mejor todavía, situaciones en las que sea el propio niño quien tiene que definir el objetivo, elaborar la estrategia y aplicarla. Cuando entregamos un puzle nuevo a un niño, el objetivo está planteado, reconstruir una imagen; pero la estrategia es cosa del niño, puede empezar poniendo todas las piezas boca arriba y buscar una pieza determinada, o puede ir cogiendo piezas de una en una y descartándolas en caso de que no le valgan, puede empezar por los bordes, o partir de un núcleo significativo; como vemos, hay múltiples estrategias.

Cuando damos un juego de construcciones, estamos haciendo una invitación a definir un objetivo: «¿Qué se te ocurre hacer con esto?».

Quizá una alta torre que desafíe los conocimientos sobre el equilibrio, tal vez un modelo de algo existente que ponga a prueba su capacidad de observación y deducción. Además de provocar estas situaciones, debemos aportar la entrada del lenguaje con preguntas como «¿Qué vas a hacer?», «¿Cómo lo vas a hacer?», «¿Qué pasará si?», «¿Qué otra cosa podrías hacer?».

Conjugar con los niños el pasado y el futuro les da el control del pensamiento y con éste el del mundo: el exterior y el interior.

El lenguaje como medio para hablar sobre los sentimientos y los conflictos

Hablar nos hizo humanos, y utilizar el lenguaje para tratar sobre los sentimientos nos humaniza. Hablar sobre los sentimientos aumenta el conocimiento y el control de los niños sobre su mundo interior y sobre el de los otros, y les enseña varias cosas:

- Ver respetados sus sentimientos.
- Identificarlos.
- Encontrar maneras aceptables de expresarlos.

Los sentimientos no se aprenden en los libros, se aprenden en la vida cotidiana, fundamentalmente cuando los padres nos preocupamos de los sentimientos de nuestros hijos les ponemos nombre y les damos una respuesta. Se trata de un aprendizaje cálido, vivencial e interactivo. Unido a él se encuentra la capacidad para ser sensibles a los sentimientos de los otros y ser capaz de empatizar con ellos.

Identificar sentimientos incluye tanto dar nombre a los sentimientos como aprender a observarlos. No es lo mismo estar enfadado que triste, que dolido, que desengañado, que colérico... que contento, feliz o emocionado. El niño necesita un vocabulario amplio, tanto para los sentimientos «positivos» como para los «negativos», que le ayude a entender él mismo sus sentimientos y a hacerlos accesibles a los demás.

También debe aprender a observarlos y a deducirlos en la expresión gestual, en la postura y en el comportamiento de los demás, algo en lo que tendremos que ayudar. «Fíjate qué enfa-

Cómo abordar los pequeños y grandes conflictos cotidianos

dado está que lleva un rato que no habla», «Mira cómo llora, se habrá hecho un daño enorme», «Mira la mamá qué contenta se ha puesto y cómo le abraza», «Fíjate como llora de emoción que se le escapan las lágrimas y a la vez se ríe».

De todos modos hay que enseñarles que cuando no tenemos claro del todo cómo se siente otra persona, también podemos preguntar: «¿Estás serio, estás enfadado conmigo?».

Deben aprender a distinguir entre los sentimientos y la forma de expresarlos y entender que éstos son perfectos, pero algunas formas de expresarlos, no. Está bien enfadarse con alguien, pero no está bien hacerle daño. Está bien mostrar que algo nos ha molestado, pero no, tener una rabieta. Está bien valorar lo que alguien nos ha dado, pero está mejor expresarlo para que el otro lo sepa.

Se trata de conseguir que los niños dominen sus sentimientos y evitar que los sentimientos dominen a los niños. Aceptar los sentimientos de los niños les permitirá expresarlos de una manera correcta y controlada con la seguridad de que serán tenidos en cuenta.

Una expresión óptima de los sentimientos se caracteriza por:

- Expresar frecuentemente los sentimientos y los deseos positivos, de agrado y de agradecimiento.

- Expresar confiada, pero moderadamente, los sentimientos negativos de desánimo o disgusto referidos a contenidos que no afecten a otras personas.

- Revelar, en el momento adecuado, los sentimientos negativos de queja o irritación relativos a conductas de los otros.

- Asumir la propiedad de todos los sentimientos, haciéndolo en primera persona y evitando la acusación al otro.

Aunque en el siguiente capítulo trataremos más sobre la negociación, la manera de utilizar el lenguaje para resolver conflictos, sí que es interesante darnos cuenta de cómo podemos dar un modelo de análisis de la realidad que, posteriormente, sea útil para la negociación.

Los niños deben entender que los sentimientos son perfectos, pero algunas formas de expresarlos no

En un primer momento bastaría con dar acuse de recibo a la situación problemática explicitando lo que ocurre y explicitando la solución («A ver, mi chiquitín, qué ha pasado, te pillaste la manita, ay cómo te tiene que doler, pero aquí está papá, te da un poco de agua fresquita y se te pasa, sana sana culo de rana si no se te cura hoy se curará mañana, un besito, se pasó»).

Posteriormente se trata de dar cada vez más participación en la identificación de las causas a los problemas y en la búsqueda de posibles soluciones («Cuéntame qué ha pasado... ¿Y qué dijimos?, ¿Se podía pintar encima del sillón?... ¿Por qué?... ¿Cómo vamos a hacer para arreglarlo?... ¿Qué le tienes que decir a mamá?...»).

La comunicación tiene que ser una característica fundamental y cotidiana de nuestra relación con los hijos, sólo si esto sucede podremos disponer de esta mágica herramienta en los momentos difíciles, cuando la dificultad no sólo consiste en utilizar el lenguaje, sino en hacer frente a la frustración y resolver un conflicto.

Cuando la comunicación se bloquea: ¿qué hacemos con las rabietas?

A veces se plantean las rabietas como la expresión de una etapa de oposición alrededor de los tres años, pero las cosas no están tan claras. En primer lugar, no todos los niños tienen la misma cantidad de rabietas, incluso hay niños que casi no tienen rabietas. Y, en segundo lugar, hay niños de cinco y más años que siguen teniendo rabietas. ¿Existe otra explicación?

Otra forma de interpretar las rabietas es verlas como un problema en la comunicación de los sentimientos y en la manera de resolver los conflictos por parte de nuestro hijo, que ante la sensación de impotencia estaría utilizando estrategias más primitivas de lo que debería. Las rabietas nos dan pie a reflexionar con nuestro niño sobre los sentimientos y su expresión, y sobre cómo conseguir lo que quieren. Nuestra intervención debe ir orientada a conseguir los siguientes objetivos:

Cómo abordar los pequeños y grandes conflictos cotidianos

1. Comprender que las rabietas no son aceptables.
2. Ayudar a los niños a tranquilizarse y recuperar el control.
3. Ayudar a los niños a utilizar el lenguaje para expresar y conseguir lo que quieren.

Analicemos cada uno de estos puntos.

Comprender que las rabietas no son aceptables

Las rabietas no son una respuesta aceptable para los niños, son sólo una muestra de su impotencia para conseguir lo que desean y para hacer frente a la frustración.

Cuando un niño se tira al suelo, golpea a otro o se golpea a sí mismo, patalea o chilla, está actuando como el bebé que sin otros recursos llora hasta obtener la intervención del adulto, una respuesta primaria (o primitiva) que pretende poner en el adulto todo el peso para la resolución. El niño intenta que su problema se convierta en el problema del adulto. Al motivo inicial para la rabieta enseguida se le une la descarga hormonal desencadenada por la propia rabieta y el enfado por la exigencia inmediata de una respuesta, respuesta que el descontrol del niño impide que se pueda dar. Si el adulto con su intervención añade tensión a la situación el niño acabará victimizándose, recreándose en una situación de abandono que él mismo ha provocado.

Los estudios nos muestran que existe un periodo crítico para el control de los impulsos (comportamientos agresivos incluidos) durante los tres o cuatro primeros años, pasado el cual se hace tremendamente difícil la posibilidad de llegar a ese control. Esto coincide con los estudios que muestran que hay un pico en los comportamientos violentos en los veinticuatro meses, momento a partir del cual descienden a medida que el lenguaje «puede» convertirse en un regulador de la conducta propia y ajena. Hemos dicho «puede» porque los estudios también nos muestran que los niños con niveles de agresión más altos a los dos años, seguían sin controlarse a los cinco años. Así que debemos ser muy conscientes de que el tiempo, por sí solo, no va a poner fin a las rabietas.

Las rabietas no son normales del mismo modo que no lo es vomitar la comida, aunque algunos niños lo hagan.

Hay niños que tienen rabietas y otros que no, algunos las tienen con mucha frecuencia y otros, en momentos excepcionales.

Considerar normales las rabietas y consentirlas, sin enseñar a los niños formas alternativas de responder a las frustraciones, les está

Lo que deberíamos hacer...

- *Establecer un diálogo corporal y afectivo ajustado a las necesidades del niño.*
- *Reconocer al niño la iniciativa en la comunicación.*
- *Expresar claramente de forma empática la conexión con el niño mediante un gran número de estímulos verbales, gestuales y corporales.*
- *Asegurar que hay un turno en las intervenciones del niño y del adulto, dando lugar a un diálogo.*
- *Ayudarles a utilizar el lenguaje oral para expresar sus necesidades y sus sentimientos, sustituyendo progresivamente el llanto o las rabietas.*
- *Fijarnos en lo que hace el niño, escuchar lo que dice el niño y darle tiempo para que responda y actúe.*
- *Enseñarle a reflexionar sobre lo que ha hecho tomando distancia sobre sus acciones.*
- *Alentarle a responsabilizarse de las consecuencias que sus acciones tienen sobre los sentimientos y necesidades de los demás.*
- *Encontrar múltiples soluciones a un problema.*
- *Ayudarles a fijarse a partir de conflictos cotidianos en los diferentes componentes de una situación: los sentimientos de las personas, lo que hacen para resolver los problemas y la «chicha» de los problemas.*

Cómo abordar los pequeños y grandes conflictos cotidianos

impidiendo que se hagan cargo de las consecuencias de sus acciones y les está enviando el mensaje de que la consecución de sus deseos es responsabilidad de otros sin que ellos puedan hacer nada.

Los niños deben entender que con las rabietas no van a conseguir lo que quieren, pero también que lo pueden conseguir de otra manera.

Cada rabieta de un niño es una oportunidad para que aprenda a controlar sus impulsos, para que aprenda otras maneras de expresar sus sentimientos y sus necesidades, en definitiva, una oportunidad de aumentar el control sobre su vida.

Ayudar a los niños a tranquilizarse y recuperar el control

Como en el resto de intervenciones, la nuestra variará en función del niño. Un niño, ya al año y medio, tiene la capacidad de poner fin a una rabieta mediante una intervención verbal tranquilizadora del adulto dirigida a hacerle recobrar el control. El momento exacto en que funciona variará para cada niño, pero lo que está claro es que funcionará mucho antes de lo

Considerar normales las rabietas y consentirlas está impidiendo al niño que se haga cargo de las consecuencias de sus propias acciones

Lo que no deberíamos hacer...

- *Considerar las necesidades del niño como caprichos y negarnos a atenderlas.*
- *Hacer que tenga que «gritar» para ser oído porque no escuchamos las necesidades del niño cuando surgen.*
- *Responder de forma incoherente a las necesidades y demandas del niño.*
- *Hablar y actuar nosotros en lugar del niño.*
- *Infantilizar la comunicación subestimando el potencial del niño para la expresión y la comprensión.*
- *Desaprovechar experiencias interesantes.*
- *Corregir y evaluar continuamente al niño.*

que podríamos pensar y que cuanto más lo utilicemos más funcionará.

A lo mejor primero debas tranquilizarle poniéndole encima de tu regazo y hablándole tranquilamente... si puedes con él y eres capaz de mantener la calma. Otra estrategia puede ser distraer al niño... si el motivo inicial para la rabieta es algo poco importante. Puede ser necesario que esté solo hasta que se tranquilice... si no va a hacerse daño o a romper algo. O quizá le debas dar un ultimátum como «O dejas de llorar o nos vamos a casa»... si estás dispuesto a llevarlo a cabo.

Cuánto antes salga el niño de la rabieta, mejor. Al niño le costará menos no entrar del todo en la rabieta que salir de ella una vez que el descontrol se ha apoderado de su cerebro. Para ello el niño necesita, por un lado, nuestra firmeza y, por otro, nuestro respeto.

Ayudar a los niños a utilizar el lenguaje para expresar y conseguir lo que quieren

Ya estamos en el punto donde el niño puede ser consciente de sus necesidades y de sus sentimientos, a veces es al minuto de comenzar la rabieta y otras veces una hora después. Debe aprender algo fundamental que es reflexionar sobre lo que ha hecho, tomando distancia sobre sus acciones, así como a responsabilizarse de las consecuencias que sus acciones tienen sobre los sentimientos y necesidades de los demás. Puede ser necesario que tú intentes poner palabras a lo que ha pasado, modelando su conducta y ayudándole a pensar sobre el motivo de la rabieta, sus sentimientos, tus sentimientos y, muy importante, formas alternativas de expresar los sentimientos y de conseguir lo que quiere.

Cómo abordar los pequeños y grandes conflictos cotidianos

Ideas relevantes

- *El primer año de vida es el momento más importante de la vida del niño, el momento en que se construyen las estructuras profundas de su personalidad y de la manera de relacionarse con el mundo.*

- *El niño debe experimentar y practicar modelos comunicativos que le ayuden a conseguir sus deseos y necesidades sin dañar a los demás.*

- *Existen tres tipos de interacción cotidiana entre los principales cuidadores y el niño donde se juega la elaboración de una comunicación ajustada: cuidado, reciprocidad y sorpresa.*

- *La comunicación con el niño debe respetar tres componentes básicos: respetar su iniciativa, conectar con él y generar un diálogo.*

- *El lenguaje verbal debe estar presente constantemente acompañando la satisfacción de las necesidades y la vivencia de las experiencias del niño.*

- *Nanas, juegos, canciones y cuentos han sido, en todas las culturas y generación tras generación, las principales lecciones con que los niños se han encontrado tanto para el desarrollo del lenguaje, del movimiento y de las relaciones sociales.*

- *Debemos ver las rabietas como un problema en la comunicación de los sentimientos y en la manera de resolver los conflictos por parte de nuestro hijo.*

- *Existe un periodo crítico para el control de los impulsos durante los tres o cuatro primeros años pasado el cual se hace tremendamente difícil la posibilidad de llegar a ese control.*

- *Tener confianza en el diálogo para resolver los conflictos con los niños nos ayudará a emplearlo y que llegue a ser eficaz.*

- *Debemos conseguir que el lenguaje sea una herramienta útil para reflexionar sobre lo que han hecho y para negociar con otros.*

4.

Aprovechar las situaciones cotidianas para resolver los conflictos

Nos preguntamos...

- ¿Qué hacemos para enseñar a los niños a portarse bien?
- ¿Qué hacemos cuando un niño hace algo que nosotros no queremos que haga?
- ¿Qué hacemos para dedicar el menor tiempo y energía posible a esto?
- ¿Cómo intervenimos de una manera respetuosa?
- ¿Cómo actuamos para impedir que se repitan en el futuro los comportamientos inadecuados?

Hablaremos de...

- *Diferentes estrategias a la hora de abordar los conflictos cotidianos.*
- *Qué hacemos para que un niño deje de hacer algo que no queremos que haga.*
- *Cómo debemos hacer o decir las cosas para modificar las acciones de nuestros hijos.*
- *Cómo debemos enfrentar a los niños a las consecuencias de sus acciones.*
- *Consejos que se deben tener en cuenta para aplicar adecuadamente cada una de las estrategias.*
- *Los errores que podemos cometer cuando tenemos un conflicto con nuestro hijo o hija.*

Debemos aprender a ver los «malos comportamientos» de los niños del mismo modo que vemos otros errores en su aprendizaje: como oportunidades para aprender. No nos enfadamos porque un niño no sepa escribir o sumar sino que ponemos los medios para que aprenda. Con los «errores» en su conducta debemos actuar de la misma manera: no sólo resolviendo el contenido del conflicto, sino proporcionándole estrategias de comunicación y resolución de conflictos que le permitan hacer frente a otros conflictos, en otros momentos, con otras personas.

Puede que debamos enseñarle a hacer frente a la frustración controlando una rabieta, tal vez a expresar sus necesidades verbalmente, quizá a buscar diferentes alternativas a una situación o simplemente a explicar la razón por la que es necesario respetar una norma. Debemos utilizar los momentos de conflicto para potenciar el tipo de cualidades que veíamos en los dos capítulos anteriores. Para ello debemos intervenir de una manera respetuosa con el niño,

Cómo abordar los pequeños y grandes conflictos cotidianos

tanto en los medios como en los fines, de modo que al final el niño sepa conseguir lo que quiere, teniendo en cuenta los intereses y los sentimientos de los demás (y en los demás estamos incluidos sus padres y sus hermanos).

Si el niño está aprendiendo no tiene sentido enfadarnos de «verdad» con él porque esto pone en cuestión la valía del niño y nos puede llevar a decisiones equivocadas y, en último caso, a la agresión (ya hemos visto que esto no es lo más adecuado para educar a alguien que queremos). Podemos transmitir desaprobación de una conducta, pero no podemos transmitir desaprobación de su persona. Podemos corregir pero no castigar, se trata de un pequeño matiz pero que da una calidad muy diferente a nuestras intervenciones.

La idea más importante de este capítulo es que existe una variedad de respuestas respetuosas con el niño que podemos dar ante los conflictos. No todas las situaciones requieren idéntica respuesta, ni siquiera una misma situación merece siempre la misma solución. A lo mejor sueles

negociar pero un día estás cansado y decides que vas a dirigir la conducta. O lo contrario, normalmente no dejamos que nuestro hijo coma las chucherías que le dan en las tiendas, pero como hace un rato se asustó con un perro y todavía le dura, negociamos con él que sólo puede tomarla si luego va a comer bien (incluso aunque sepamos que es posible que se le quite el hambre). O hemos estado dirigiendo la conducta como principal estrategia y, un día, intuimos que nuestro hijo es suficientemente mayor como para empezar a elegir. En cierto tipo de situaciones podemos estar dispuestos a negociar pero en otras, que consideramos «básicas», no nos planteamos otra posibilidad que dirigir. Como decíamos en el primer capítulo, la relación con los niños es dinámica en función de los vertiginosos cambios que constituyen la infancia.

Lo más importante de este capítulo es que disponemos de seis formas de intervención:

- Reestructurar las expectativas o las situaciones.

> *No todas las situaciones requieren idéntica respuesta, ni siquiera una misma situación merece siempre la misma solución*

- Ignorar la conducta.
- Dirigir la conducta.
- Plantear consecuencias.
- Ofrecer alternativas.
- Negociar.

Cuando un niño no actúa como queremos debemos hacer una rápida valoración para saber cuál es la estrategia más adecuada a la edad o a la situación para, de este modo, conseguir que su conducta cambie. Una vez iniciada una estrategia, siempre tenemos la posibilidad de pasar a otra que sea más eficaz, si la primera no funciona.

Las estrategias siguen un orden de menor a mayor complejidad. Lo más sencillo es reestructurar una situación modificando el espacio o los tiempos. Por ejemplo, si un niño pequeño abre un cajón peligroso la respuesta puede ser comprar un seguro para evitar que pueda abrir el cajón, si siempre tira el agua en la comida quizás debamos comprar un vaso antivuelco, si el desayuno se alarga y eso nos hace llegar con prisas y de malhumor al colegio, puede bastar con levantarnos un poco antes.

Lo más complejo será negociar con el niño para involucrarle en la solución. A corto plazo exige más tiempo; a largo plazo es una inversión, tanto en tiempo como en la mejora de la inteligencia emocional de nuestros niños.

Con niños pequeños o «inexpertos» será necesario emplear las estrategias más sencillas, pero según crecen debemos ir utilizando la negociación hasta que sea la estrategia básica de solución de los conflictos. Incluso con niños pequeños podemos establecer pequeñas negociaciones; incluso con niños mayores puede ser necesario utilizar estrategias sencillas, como dirigir la conducta si una situación lo requiere por su gravedad, urgencia o peligro.

Utilizar un lenguaje que ayude

En todos los casos es fundamental que el lenguaje sea respetuoso con el niño. Entre las situaciones más peligrosas se encuentran aquellas donde solapamos las relaciones afectivas y las situaciones de «disciplina». Un problema cuan-

Cómo abordar los pequeños y grandes conflictos cotidianos

do «reñimos» o corregimos a los niños es que muchas veces, en vez de limitarnos a la conducta que origina la riña, nos inmiscuimos en la relación emocional o en la personalidad del niño. Es importante que los padres y profesores establezcamos una diferencia clara entre estos dos aspectos y las situaciones donde establecemos unos criterios de comportamiento. Al niño le debe quedar claro que ningún conflicto va a romper el vínculo que tenemos con él (la autoestima del ser tiene que quedar siempre a salvo). A veces llegamos a decir cosas como «Si no comes, entonces no te quiero» o «Si no haces tal cosa, me voy». Un niño no puede desconfiar de nuestro amor incondicional.

Tampoco deberíamos utilizar descalificaciones personales ni, obviamente, insultos. No es infrecuente oír expresiones como «Eres un cabezón» o «Este niño es tonto», o «Estás en el mundo porque tiene que haber de todo».

Nuestra intervención tiene que estar claramente centrada en el comportamiento del niño:

- Describiendo exactamente lo que no nos gusta.

- Explicando los efectos que ese comportamiento tiene en los demás (incluyéndonos a nosotros mismos), en el propio niño o en lo que le rodea.

- Señalando la manera en que vamos a intentar cambiar esa conducta.

Todo lo demás sobra; como poco no vale para nada y existe el peligro de que mine la autoestima del niño. La confianza en el potencial del niño, el respeto a su globalidad y a su bienestar psicológico tienen que quedar siempre a salvo.

Al niño le debe quedar claro que ningún conflicto va a romper el vínculo que tenemos con él

Formas de intervención

Ignorar la conducta

A veces una buena forma de intervenir es no intervenir. Podemos preferir hacer que no hemos visto algo si pensamos que nuestro hijo está actuando para llamar la atención. O, después de un día lleno de pequeños enfrentamientos y desafíos, decidimos que nos merecemos un respiro y hacemos la vista gorda ante un

Cómo abordar los pequeños y grandes conflictos cotidianos

pequeño acto inadecuado. Sólo un aviso importante, si hemos elegido la estrategia de ignorar, y luego vemos que es necesario intervenir, no debemos echarle en cara al niño lo que hizo durante el tiempo en que ignorábamos su conducta. Además, sólo deberíamos aplicarla cuando no sea probable que la situación se vaya a complicar y, al final, lo único que consigamos es que sea más difícil hacerle frente.

Dirigir la conducta

Cuando un niño muy pequeño realiza una acción peligrosa o inadecuada no tiene mucho sentido avisarle del peligro o reñirle, pero tampoco darle la oportunidad de desobedecer la advertencia. Debemos cambiarle de actividad o de lugar, a la vez que se le da una muy breve explicación, valorando que es demasiado pequeño para comprender las razones. Se trata de poner fin a una acción no deseada, cambiándola por otra, pero sin culpabilizar al niño.

No debemos olvidar la necesidad de «hacer» que tienen los niños, así que si queremos que un niño deje de hacer algo que «no

debe hacer» lo mejor será proponerle una propuesta alternativa (otro juguete, un cambio de situación, un cambio de espacio, etc.). Podemos hacer esto mediante la distracción o la sustitución.

La distracción funciona bien con los niños muy pequeños, quizá por debajo del año y medio, y se basa en su interés por la novedad. Distraer al niño para que deje de hacer algo tiene en cuenta este interés por la novedad.

Imaginemos un niño de un año que ha cogido un tenedor de la mesa y juega con él con el riesgo de hacerse daño. Una intervención para distraerle podría ser quitarle el tenedor y comenzar a dar palmas. No es necesario que haya una relación entre la nueva actividad y la anterior porque la capacidad del niño para concentrarse en la acción todavía es muy reducida.

En cambio, el acto de sustituir sí que tiene en cuenta que el niño quiere hacer lo que está haciendo, puesto que respeta su interés, sin embargo cambia el instrumento o el espacio haciendo de ella una estrategia adecuada para niños más mayores. En el

Cómo abordar los pequeños y grandes conflictos cotidianos

ejemplo anterior sustituiríamos el tenedor por una cuchara o por un tenedor de juguete. El objetivo de la intervención está en dar al niño una idea clara de cómo hacer lo que hace, pero de una forma aceptable. Como mucho hay que dar una pequeña explicación verbal de la razón para realizar la sustitución.

Cuando los niños crecen, la estrategia de dirigir la conducta distrayéndoles o sustituyendo va perdiendo su sentido y el lenguaje tiene que ocupar un papel creciente como regulador de la conducta. Es el momento de explicar lo que queremos dirigiendo verbalmente la conducta, y para ello utilizaremos el explicar y el recordar.

Los niños comprenden lo que les decimos mucho antes de que puedan hablar, por lo tanto desde muy pronto debemos explicar las razones por las que deben actuar de una determinada manera. Según van creciendo y ampliando su capacidad de acción, deben hacerse con un manual de instrucciones del mundo que les rodea. Cuando no queremos que hagan algo debemos asegurarnos de que saben por qué, y podemos estar seguros de que en la mayor parte de las situaciones nos bastará con dar la razón por la que algo no se puede hacer para que nuestro hijo no lo haga.

No sólo importa dar razones, también es fundamental la manera en que éstas son explicadas. Siempre existe el peligro de que un niño sienta una censura a un comportamiento puntual como si fuera un cuestionamiento global, lo que podría llevarle a desobedecernos para reafirmarse. La manera correcta de intervenir debería:

- Introducir primero una expresión de respeto o cariño.
- Explicitar la conducta a la que queremos que el niño ponga fin.
- Acabar con una explicación sencilla de la razón para el no.

Una intervención del tipo «Pablo, cariño, bájate de ahí que está muy alto y te puedes hacer daño». «A ver, mi amor, sé que estás cansada pero papá no te puede coger en brazos porque pesas mucho, así que tienes que andar un poquito más». Otra forma de intervenir para diri-

Cuando los niños crecen, la estrategia de dirigir la conducta distrayéndoles o sustituyendo va perdiendo su sentido y el lenguaje tiene que ocupar un papel creciente

gir la conducta es recordar un acuerdo o una norma previamente establecida: «¿No habíamos quedado en que me llamabas?», «¿No te expliqué ayer que si tiras los cuentos se pueden romper?». A veces ni siquiera hace falta hablar, una mirada puede servir como un recordatorio de que no se está respetando una regla.

Hay veces que es necesario dirigir la conducta sin distraer, sustituir, hablar o recordar.

Por ejemplo, subimos al coche y el niño se niega a sentarse en su asiento y ponerse el cinturón, aunque le estamos explicando que todo el mundo tiene que ir atado en el coche, entonces no nos queda más remedio que sentarle y asegurarle. Debemos hacer esto con firmeza, pero sin violencia, explicándole que no puede ir suelto, pero sin reñirle.

O le hemos dicho que no puede comer patatas fritas hasta que no se haya tomado la sopa y, pese a ello, muestra intención de coger una, entonces cambiamos las patatas de sitio, alejándolas, y si el niño se mueve para cogerlas las pone-

mos en alto, mientras recordamos la orden inicial, «No se puede comer patatas hasta que no acabes la sopa».

Plantear consecuencias

No podemos estar toda la vida dirigiendo la conducta del niño, tenemos que hacer al niño responsable de sus acciones. Para ello favoreceremos su autonomía ayudándole a anticipar las consecuencias de sus actos. Se trata de dar al niño a elegir entre dejar de hacer lo que no queremos que haga o enfrentarse a las consecuencias de seguir haciéndolo. El margen de decisión es muy pequeño, pero el niño tiene la posibilidad de elegir.

Las consecuencias las establecemos los adultos y es esencial elegirlas bien y aplicarlas bien. Una buena consecuencia:

- Debe tener una relación con la conducta negativa.
- Debe ser expresada sin que suene amenazante.
- Debemos estar dispuestos a llevarla a cabo en cuanto se incumpla la norma.
- Debe ser limitada en el tiempo.

Cómo abordar los pequeños y grandes conflictos cotidianos

En primer lugar, debe tener una relación lógica con el comportamiento al que se quiere poner fin, lo que se ha llamado sanción por reciprocidad, algo muy diferente a lo que entendemos por castigo. La relación debe ser evidente. Es lógico que un niño que no quiere comerse el filete no pueda comer helado de postre, pero no es lógico que se quede sin bajar al parque; o es lógico que un niño que maltrata un juguete se quede sin él, pero no lo es que no pueda comer helados; es lógico que si ha empujado a otros niños en el parque se quede sentado contigo en el banco hasta que pase un rato, pero no que se quede sin cuento por la noche.

Una consecuencia tampoco puede ser expuesta con un tono amenazante, porque eso puede cambiar el foco pasando de las consecuencias de la acción del niño a nuestro enfado. Por supuesto la consecuencia nunca puede ser una acción humillante o violenta.

Hay varias maneras de quitar eficacia al uso de las consecuencias:

- Haber elegido una consecuencia difícil de aplicar.

- Dejar de aplicarla porque nos da pena.
- Avisar de la consecuencia repetidas veces, antes de acabar aplicándola.
- Tener criterios cambiantes sobre las consecuencias de una determinada acción.

A la hora de plantear la consecuencia es necesario ser conscientes de que podemos y queremos llevarla a cabo. Para que una consecuencia sea eficaz debe ser posible aplicarla; por lógico que sea decir «O recoges los juguetes del suelo o los barro y los tiro a la basura», pocos de nosotros la llevaríamos a cabo, tampoco seremos capaces de mantener «O comes la comida o no hay helados en todo el verano», ni podemos decir «O recoges todo o no nos vamos», si realmente tenemos necesidad de irnos. Para que el uso de las consecuencias sea eficaz el niño debe ver que cumplimos lo que decimos. Si hemos elegido mal la consecuencia y nos desdecimos le estamos quitando eficacia, así que conviene no dejarse llevar por el calor del

Para que el uso de las consecuencias sea eficaz, el niño debe ver que cumplimos lo que decimos

momento y pensar bien lo que decimos.

La segunda manera es echarnos para atrás en su aplicación cuando nuestro hijo empieza a llorar o protestar diciendo que se va a portar bien y que no lo va a volver a hacer «nuuuuuuuunca». ¿Qué pasa si cedemos ante el llanto apenado de nuestro hijo? Que estamos reforzando la utilización del llanto o la rabieta y el niño llorará hasta que sienta que nos da la pena suficiente. Para que la utilización de la consecuencia sea eficaz, para que el niño prevea las consecuencias de sus actos, debe tener claro que la consecuencia se va a cumplir. Podemos hablar con él planteando que esperamos que la próxima ocasión nos demostrará que ha aprendido a hacer las cosas. Podemos mantener un tono cordial que haga ver que no estamos enfadados, pero que, si hemos dicho una cosa y la hemos avisado, tenemos que cumplirla.

Un tercer error es avisar de la consecuencia una y otra vez, sin llegar a aplicarla, lo que llevará a tu hijo a ver hasta cuándo puede forzar la situación. Si has avisado de la consecuencia, en caso de incumplimiento debes aplicarla y no dar una oportunidad más.

El último error es tener criterios cambiantes sobre las consecuencias de una determinada acción, si unas veces nuestro hijo se sube al sofá y no pasa nada, mientras que otras veces sí, todos nos vamos a armar un lío. En caso de que haya una razón muy clara para permitir un comportamiento que normalmente no es aceptable, hay que explicitarlo mostrándole que hay una razón especial para ello.

Sobre los premios o castigos

Mientras que las consecuencias tienen una relación clara y directa con la conducta inadecuada, los castigos o los premios tienen una relación arbitraria o indirecta. Es casi seguro que todos estaremos de acuerdo en los efectos negativos del castigo, de la utilización de sanciones por «expiación» que no implican más que una venganza y que se centran en producir miedo para conseguir una determinada conducta. Pero en el caso de las recompensas puede no haber el mismo acuerdo sobre sus efectos negativos.

Cómo abordar los pequeños y grandes conflictos cotidianos

«Si te portas bien, luego te compro un helado», «Si consigues tal cosa (no pegar, no hacerte pis, no decir palabrotas) ponemos una carita contenta en el calendario, si conseguimos cuatro caritas iremos a la piscina de bolas». No hay duda de que las recompensas son mejores que el castigo pero lo que comparten estos dos métodos es más importante que lo que les diferencia. Son «extrínsecas» al comportamiento y no ofrecen a los niños ninguna razón para continuar actuando de la manera deseada cuando ya no hay una recompensa que ganar. Cuando se dan recompensas extrínsecas a ciertos comportamientos se tiende a reducir el interés de los niños para que realicen esos comportamientos por su propio interés, cuando lo que pretendemos es que los niños interioricen normas y valores prosociales. Que hagan las cosas porque sienten que es lo que ellos «tienen» que hacer y no porque los adultos les obliguemos a hacerlas.

Sólo hemos visto una utilización aceptable de las recompensas en la serie *Supernanny*, un sistema de puntos permitía recuperar a un niño juguetes que había perdido por no recogerlos. En este caso las recompensas se emplearon durante un periodo muy limitado de tiempo y con el objetivo fundamental de conseguir que los padres fueran coherentes en sus normas, más que con el de servir de estímulo externo para los niños.

Las recompensas no ofrecen a los niños ninguna razón para continuar actuando de la manera deseada cuando ya no hay una recompensa que ganar

Ofrecer alternativas

El siguiente paso a la hora de favorecer la autonomía del niño en la resolución de conflictos es ayudarle a darse cuenta de que podemos pensar diferentes alternativas a un problema y elegir la mejor de entre ellas.

La manera más sencilla de incluirle en la toma de decisiones es proponerle posibilidades diferentes para solucionar un comportamiento inadecuado y permitir que el niño elija entre ellas. Cuanto más experto sea el niño en los procesos de pensar ideas y de elegir una solución, más responsable será de sus acciones.

Cómo abordar los pequeños y grandes conflictos cotidianos

Nuestro hijo está pintando con rotuladores sobre una hoja de papel apoyada encima del sofá. Le podemos decir «Si pintas encima del sofá con los rotuladores puedes mancharlo, así que si quieres seguir pintando ponte encima de la mesa o si quieres estar en el sofá tráete la pizarrita magnética y así puedes pintar sin que se manche el sofá. ¿Qué prefieres?».

Comentamos...

En primer lugar nos aseguramos de definir el problema y de explicar las razones por las que le vamos a proponer las alternativas y, a continuación, le proponemos una o dos soluciones que le permitan seguir haciendo lo que quiere hacer, para que el niño elija entre ellas. También puede pasar que el niño proponga otra posible solución. Entonces la valoraremos y, si es aceptable, la ponemos en práctica.

También podemos sugerir una solución pero asegurándonos de pedir el visto bueno del niño. Vamos con nuestro hijo a una tienda y le dan un caramelo justo antes de la comida. Podemos limitarnos a decirle «Lo guardamos para después de comer ¿vale?». El objetivo es involucrar al niño en la solución del problema, al menos pidiéndole el visto bueno a la solución. Igual que en la sustitución que veíamos al dirigir la conducta, puedes jugar con el tiempo y con el objeto («más tarde», «sólo uno»...).

No preguntar cuando no queramos que nos digan que no

Si quieres dirigir la conducta, dirígela. Nunca hagas una pregunta que sólo admita un sí como respuesta.

Los niños no entienden las preguntas retóricas. Si estamos en el parque y queremos irnos nunca deberíamos preguntar «¿Nos vamos ya a casa?». Puede parecer algo poco importante pero nuestro hijo debe saber que, si le preguntamos, vamos a hacer caso a su opinión. Una idea alternativa es avisar un poco antes de lo que va a suceder para que se vaya haciendo la idea, y cuando llega el momento decir «Nos tenemos que ir», e irnos. Nuestro hijo debe saber que cuando preguntamos, preguntamos; y que cuando mandamos, mandamos.

Negociar y mediar

Cuando decimos a nuestro niño qué hacer dirigiendo su conducta, cuando le planteamos una consecuencia o cuando le damos alternativas no está aprendiendo a pensar qué hacer por sí mismo. Negociar, en cambio, le ayuda a pensar en formas diferentes de conseguir lo que quiere y esto aumenta sus posibilidades de encontrar por sí mismo soluciones que compaginen sus necesidades y sus sentimientos con los de los demás.

Negociar con un niño da por supuesto que:

- Las posturas, deseos o preferencias de los niños pequeños son correctas (por lo menos en parte).
- Los niños son poseedores de una individualidad única (por pequeños que sean).
- Tienen una capacidad de influir en el mundo (aunque sea limitada).

La idea esencial que hay detrás de negociar los conflictos con los niños es darles poder sobre el proceso y responsabilidad en la decisión.

Negociar les transmite la idea de que parte de las normas de su mundo están en sus manos, que tenemos confianza en sus criterios y que esperamos que aplique este sistema en el resto de su vida. Les permite ser conscientes de sus necesidades y darse cuenta de que tú (y por extensión los otros) también tienes necesidades.

Negociar permite al niño ser consciente de sus necesidades y darse cuenta de que tú también tienes necesidades

De todos modos, negociar no será la única solución que apliques en los conflictos con tus niños. Negociar debe compartir espacio con las otras estrategias, fundamentalmente por razones prácticas, ya que no siempre tendrás tiempo ni energías ni razones para negociar.

Para utilizar la negociación debemos:

- Tener tiempo.
- Estar tranquilos.
- Estar decididos a aceptar los resultados.

Es decir, si estamos agobiados porque tenemos mucha prisa (por ejemplo, queremos salir de casa) y tenemos muy claro lo que queremos que haga el niño (por ejemplo, que deje de jugar) es mejor dirigir la conducta o dar alternativas. Si un niño ha desobedecido una norma clara y repetidamente establecida tampoco deberíamos negociar sino hacerle enfrentarse a las consecuencias de su acción.

Cuando negociamos con los niños es fundamental tener en cuenta que les estamos enseñando a negociar, es decir, nuestro objetivo fundamental es desarrollar dos habilidades básicas: buscar respuestas diferentes a sus necesidades y evaluar las consecuencias de esas ideas.

Para ello insistiremos en explicitar las fases del proceso para ayudarle a comprenderlas y actuar adecuadamente en cada una de ellas. Aprender a negociar los conflictos es interesante tanto para los niños más prosociales como para aquellos socialmente menos hábiles. Los niños más empáticos acostumbrados a tener pocos conflictos sociales se beneficiarán de una estrategia válida para hacer frente a problemas cotidianos mediante el desarrollo de un pensamiento creativo; a los niños que se enredan cotidianamente en conflictos interpersonales les proporciona una manera eficaz de buscar soluciones, calcular sus consecuencias y mejorar sus relaciones sociales.

¿Cómo haces para negociar con tu hijo? Todos los métodos de resolución de conflictos sugeridos en diferentes libros coinciden en los mismos pasos:

1. Estar tranquilos para poder negociar.
2. Identificar el problema.
3. Generar múltiples soluciones.

Cómo abordar los pequeños y grandes conflictos cotidianos

4. Evaluarlas para encontrar la más adecuada.
5. Planificar cómo se pone en práctica.

Estar tranquilos para poder negociar

Lo primero es conseguir un estado de ánimo que permita el diálogo. Si está llorando o enrabietado por su frustración, primero tendrá que tranquilizarse. El mero hecho de calmarse pone fin a muchos conflictos.

Identificar el problema

El siguiente paso es aclarar lo que ha pasado, poner nombre a sus sentimientos y a lo que quiere, y también a tus sentimientos y a lo que puedes querer tú. Haz un resumen común del conflicto que sea aceptado por el niño.

Generar múltiples soluciones

Ahora es el momento de pasar a buscar diferentes soluciones. Asegúrate de que el niño es consciente de que hay una amplia variedad de alternativas y anímala a que sea activo en la búsqueda de posibilidades. Tu función es ayudarle a que se le ocurran un montón de posibles soluciones y recordarle las soluciones que él va aportando. Resiste la tentación de sugerir ideas porque esto puede hacerle pensar que sus ideas no son lo suficientemente buenas. Si piensas que tu niño necesita nuevas ideas, pídele que recuerde cómo reaccionó otra persona conocida en una situación parecida. También se lo puedes sugerir más tarde, una vez acabado el proceso de negociación.

Evaluarlas para encontrar la más adecuada

A continuación deberás ayudarle a decidir entre las posibles soluciones, valorando por sí mismos pros y contras de aplicar cada una de ellas con preguntas del tipo ¿qué crees que puede pasar? o ¿te acuerdas qué sucedió el día que probaste esa idea?, y, ¡muy importante!, evitando en lo posible emitir tus propios juicios. La habilidad para negociar se relaciona con el número de ideas diferentes que somos capaces de generar, no con el número de «buenas» ideas.

Planificar cómo se pone en práctica

Finalmente, una vez elegida la solución habrá que concretar un

El adulto debe promover que el niño sea activo en la búsqueda de posibilidades

Cómo abordar los pequeños y grandes conflictos cotidianos

plan para ponerla en práctica. Si elige una alternativa que piensas que no va a funcionar, asegúrate de que sepa qué hará en el caso de que falle la primera idea o, por lo menos, que sea consciente de que puede contar contigo para seguir pensando.

Enseñar a negociar mediando entre dos niños

La estrategia que se describe a continuación es aplicable cuando medias entre dos niños que tienen un conflicto, sean hermanos o amigos, de la misma edad o de edades diferentes.

De nuevo, lo primero será conseguir un estado de ánimo que les permita el diálogo. Es probable que tengas que consolar a uno de ellos, o tal vez a los dos, que estarán llorando o que todavía intentan pegarse patadas. Como ya hemos señalado, el mero hecho de calmarse pone fin a muchos conflictos, se tranquilizan, se miran, les da la risa y deciden que tus servicios no son necesarios.

Lo siguiente será que cada uno escuche lo que el otro ha vivido, ayudándoles a salir del tan repetido «Él me pegó primero, él empezó», y ayudándoles a identificar qué ocurrió y cuál fue la causa real de la pelea o conflicto. Olvídate de intentar saber quién empujó primero porque esto no suele tener una respuesta clara, aun en el caso de que lo hayas visto con tus propios ojos. Luego descarta que haya manías o enemistades de fondo (es algo muy frecuente y tal vez sea la causa real del conflicto). Con estos datos, o intuiciones, elabora una historia de lo que pasó que sea aceptada por ambos niños. Es necesario introducir no sólo la causa que generó el conflicto, sino también la sucesión de hechos y los sentimientos provocados en ambos.

Ahora es el momento de pasar a buscar posibles soluciones. Pide de forma alternativa a cada uno de los niños que te vaya dando posibles soluciones. Sondea entre las diferentes soluciones aportadas cuál puede ser aceptada por ambos, preguntándole a cada uno de ellos si le vale. Para acabar, dedícate a restaurar la relación ocupándote de sus

Es necesario introducir no sólo la causa que generó el conflicto, sino también la sucesión de hechos y los sentimientos provocados en ambos

Cómo abordar los pequeños y grandes conflictos cotidianos

sentimientos, de las cosas que más les han herido; es la hora de los perdones y de pedirles que se muestren afecto.

A veces puede ser útil mediar sólo con una parte, con el agresor o con el agredido, analizando qué podrían haber hecho para evitar el conflicto, esto es especialmente importante con niños a los que les cuesta mantener el control y que tienen tendencia a meterse en peleas, o con niños propensos a convertirse en víctimas. En ambos casos es fácil que te encuentres con niños con una baja autoestima y con pocas competencias comunicativas.

Lo que deberíamos hacer

- *Involucrar, desde muy pequeño, a nuestro hijo en la solución de sus problemas con las personas y las cosas.*
- *Dirigir la conducta cuando es muy pequeño.*
- *Darle a elegir cuando crece.*
- *Darle la posibilidad de negociar cuando es más mayor.*
- *Ayudarle a conseguir lo que quiere teniendo en cuenta los intereses y los sentimientos de los demás (y en los demás estamos incluidos sus padres y sus hermanos).*
- *Cuando le corrijamos, emplear un lenguaje respetuoso con el niño.*
- *Utilizar sanciones por reciprocidad que enfrenten a los niños con las consecuencias lógicas de sus acciones.*
- *Dar prioridad a las estrategias que favorecen la implicación y la responsabilidad del niño.*

Cómo abordar los pequeños y grandes conflictos cotidianos

Lo que no deberíamos hacer

- Decidirlo todo por él o ella.
- Centrarnos en el control.
- Aplicar diferentes respuestas ante situaciones idénticas.
- Contradecirnos los diferentes adultos que estamos con el niño.
- Contradecirnos nosotros mismos.
- No cumplir lo que decimos.
- Perder el control de la situación.
- Pasar el enfoque de corregir la conducta que se debe castigar.
- Utilizar castigos por expiación.
- Ir por detrás de las posibilidades del niño.

Ideas relevantes

- Debemos conocer la variedad de las respuestas respetuosas con el niño que podemos dar ante los conflictos.
- Debemos valorar en cada situación cuál es la estrategia más indicada para mejorar el comportamiento del niño.
- Nuestro objetivo como padres es que el niño desarrolle una moral autónoma basada en la empatía y en la cooperación.
- La negociación debe estar presente en nuestra relación con el niño desde que nace.

Cómo abordar los pequeños y grandes conflictos cotidianos

Podemos saber más

ASOCIACIÓN PRO DERECHOS HUMANOS DE ESPAÑA. SEMINARIO PERMANENTE DE EDUCACIÓN PARA LA PAZ (2006): *Manos cooperativas. Juegos y canciones de siempre para ser siempre amigos.* Madrid. Catarata.

Una recopilación de casi cien juegos de falda, de palmas y de cordel que pretende favorecer al aprendizaje de la cooperación, el lenguaje y el movimiento. La recopilación de los juegos de palmas es única en el mercado editorial de juegos infantiles. El libro incluye un disco compacto con las canciones de gran parte de los juegos.

CRARY, E. (1998): *Crecer sin peleas, cómo enseñar a los niños a resolver conflictos con inteligencia emocional.* Barcelona. RBA. (Los Libros de Integral.)

Un libro interesante para profundizar en las estrategias para resolver las «peleas» con los niños presentado con una innovadora estructura donde a la explicación, a través de ejemplos sacados de la vida cotidiana, le sigue la utilización de ejercicios de autocorrección con el fin de asegurar una comprensión adecuada. Además, presenta la misma estrategia adaptada a diferentes situaciones: niños pequeños, peleas entre hermanos. Un libro sencillo que te proporcionará una valiosa guía de actuación.

GONZÁLEZ, C. (2003): *Bésame mucho: cómo criar a tus hijos con amor.* Madrid. Temas de hoy.

Este libro junto con *Mi niño no me come,* del mismo autor, aborda con sensibilidad y respeto algunas de las necesidades básicas de la infancia. Con un estilo cercano y ameno el autor fundamenta en su práctica como pediatra, en datos de medicina comparada y en aportaciones antropológicas, una reflexión que pretende evitar que las expectativas inadecuadas de los padres sobre la alimentación, el sueño y otros aspectos de la crianza conviertan en problemáticas situaciones que no lo deberían ser.

GROSE, M. (2000): *Niños felices, cómo conseguir que su hijo crezca sano y feliz*. Barcelona. Ediciones Oniro.

Lo que la mayoría de los padres queremos es que nuestros hijos sean felices. Este libro, con un contenido sumamente práctico muestra cómo crear una atmósfera cálida y segura para que los niños crezcan de manera sana y feliz. Michael Grose plantea las pautas básicas de la vida familiar y explica cómo ejercer una paternidad eficaz y estimulante que permita a los niños convertirse en adultos equilibrados. En esta completa guía se proporciona información para fomentar la autoestima en los niños; potenciar la cooperación en la familia; resolver los conflictos sin lágrimas, miedo ni humillación; controlar la rivalidad entre hermanos; hacer frente a los abusos y ayudar a los niños a desarrollar su inteligencia emocional.

HIRSH-PASEK, K.; MICHNICK GOLINKOFF; R. (2005): *Einstein nunca memorizó, aprendió jugando*. Madrid. Martínez Roca.

Jugar no sólo es bueno, es además mucho mejor que los programas de estimulación precoz como bits de inteligencia y sus secuelas tipo *Baby Einstein*. Tras décadas de investigación, los especialistas en desarrollo infantil han llegado a una conclusión: el juego es el mejor método para que los niños aprendan. Además de desmontar los mitos que ha difundido la industria del aprendizaje acelerado y las modas de hiperestimulación, este libro aporta a padres y educadores una guía práctica para enseñar conceptos complejos mediante juegos inteligentes, sencillos y llenos de amor.

MARTÍNEZ LÓPEZ, M.C. (2005): *Cómo favorecer el desarrollo emocional y social de la infancia. Hacia un mundo sin violencia*. Madrid. Los Libros de la Catarata. (Edupaz.)

Con la convicción de que otra educación y otro mundo son posibles el libro describe y analiza las prácticas educativas de diferentes sociedades que pretenden que todos los individuos desarrollen su autoestima, establezcan fuertes lazos sociales basados en la empatía y la amistad, destierren la competición del centro de su vida social y eliminen la violencia de la resolución de sus conflictos. En una segunda parte se dedica un amplio espacio a analizar lo que debemos modificar de nuestra sociedad para mejorar la preocupante situación actual en aspectos como las políticas sociales con relación a la maternidad; la inhibición social ante la desaparición del juego como consecuencia de su creciente comercialización; la pérdida de control sobre la socialización infantil debido a la presencia arrolladora de la televisión y otras pantallas; el desafío al que tiene que responder la institución educativa haciéndose respon-

Cómo abordar los pequeños y grandes conflictos cotidianos

sable de la educación en valores de los ciudadanos o, finalmente, la imperiosa necesidad de separar a los chicos de la violencia.

PIKLER, E. (1985): *Moverse en libertad: desarrollo de la motricidad global.* Madrid. Narcea.
La investigación recogida en este libro fundamenta la necesidad de dejar al niño en completa libertad para moverse –ropa adecuada, espacio suficiente y ausencia de todo adiestramiento motor por parte del adulto– con el fin de que vaya aprendiendo con flexibilidad y con prudencia las sucesivas habilidades motoras con su propia acción y en los momentos que él elige. Entender que la forma de intervención adulta adecuada, en un aprendizaje tan complejo como andar, puede ayudarnos a ver el tipo de intervención deseable en gran parte de los aprendizajes.

SAN ANDRÉS, C. (2000): *Jugar, cantar y contar: juegos y canciones para los más pequeños.* Madrid. Ediciones Teleno.
Canciones y juegos son una estrategia clave para favorecer la comunicación y el lenguaje. Este libro te ofrece una de las recopilaciones más completas de juegos cantados, canciones y rimas infantiles en castellano. Además, la calidad del disco compacto que recoge las canciones, estupendamente versionadas, te será muy útil para recordar aquellas canciones de siempre de las que sólo recordamos la primera estrofa y para aprender canciones nuevas.